あなたのまわりに奇跡を起こす

言葉のチカラ

魂と宇宙をつなぐ方法

精神科医
越智啓子

青春出版社

はじめに

この本を手に取ってくださって、本当にありがとうございます。

「言葉のチカラ」というタイトルに引かれて、思わず手に取られたのかもしれません。

言葉には、本当に不思議なチカラがあります。

言葉のおかげで、思いを伝えることができます。

とくに日本語は、ほとんどが母音なので、とてもパワフルです。

無意識に言葉を使うよりも、少し言葉の不思議なチカラについて知るようになると、日常の言葉の使い方が変わって、とてもパワフルになります。

言葉を上手に使うことは、とくに人間関係には大切です。

言葉の使い方で、奇跡が起きます。

コミュニケーションがより円滑になります。

イメージ力を使って、さらに言葉はパワーアップします。

日本語の源流ともいえる「カタカムナ」を知ることで、なぜ日本語が聖なる言葉なのかが少しずつわかってきます。日本語の聖なるパワーを意識して活用してみましょう！

日常の流れが変わってきます。

直感が冴えてきます。

自分の思いが人生を創っていることが、感覚的に感じられるようになります。

ぜひ、この本から言葉のチカラについて、いろんな情報とヒントをもらってください。

愛と笑いの癒しをしているおかげで、言葉についてはとても敏感になっています。笑い療法のために、日々言葉を駆使してギャグを考えていますが、日本語が同じ音でいろんな言葉があることを最大活用しています。

私は精神科医ですが、愛と笑いの癒しをしているので、愛を込めた言葉、笑いを生み出す言葉をいつも考えています。

こうやって人生のしくみや癒しについての本をずっと書いてきています。言葉とはとても縁が深い人生を送っています。

「言葉のチカラ」の本を通じて、愛を込めて日本語の素晴らしさを伝えることができて、とても嬉しいです。

この本は、どの章から読んでいただいてもかまいません。

言葉のエネルギーが奇跡を起こすしくみについて知りたい方は第1章から、手っ取り早く最強の言葉を実際に使ってみて、奇跡を起こしたい方は第5章からどうぞ……。

あなたのお好きなように、お好きな章から読んで、すぐに役立てていただければ幸いです。

それでは、どうぞ言葉の不思議なチカラをお楽しみください。

すべてはうまくいっている！

笑いの天使・越智啓子より

あなたのまわりに奇跡を起こす　言葉のチカラ――目次

第4章

夢を実現した人の言霊パワーをもらいましょう

第5章

あなたの魂を動かす最強の言葉集

カバーイラスト…………奥　勝實
本文デザイン・DTP……リクリデザインワークス

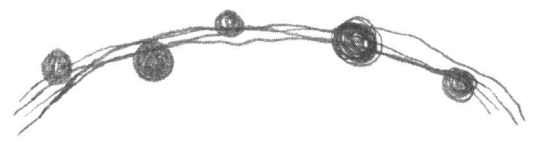

第1章

言葉のエネルギーが、ぐんぐん奇跡を引き寄せます

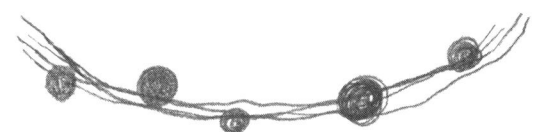

たったひと言が起こした奇跡

言葉には不思議な力があることを、みなさんはご存じですか？

きっと、すでに感じていて、この本に興味をもたれたのだと思います。

私たちは当たり前のように、日常で無意識に言葉を使っています。

自分の気持ちや考えをまわりの人々に伝えるのに、音声化した言葉はとても便利です。

言葉を発することで、自分が今思っていることが相手にきちんと伝わっていきます。お互いに思い込んでいたことが微妙にずれていたことも、思いを言葉に出すことで誤解が解けて、クリアになってきます。思いの交換ができて、一気に人間関係がよくなっていきます。

それほど言葉の表現はとても大切なのです。

自分の思いを語り合う中で、言葉のエネルギーをもう少し意識して使うと流れがさらによくなります。

たとえば、にっこりと笑顔で「ありがとうございます」と声をかけただけで、その場の雰囲気が一気によくなったという経験はありませんか。

お互いの意見がぶつかって動かない状況のときに、「ありがとうございます」とにこやかに挨拶して登場することで、重い空気が一掃され、「今回だけは特別にOKにしましょう！」と流れが一気に好転する場面に何度もあっています。

第5章の「最強の言葉集」でも紹介しますが、「ありがとうございます」という言葉に、奇跡を起こす不思議なパワーがあるからです。その場の波動を一気に明るく高いレベルに持ち上げてくれます。人と人とをあっという間につなげてくれます。

どんなに暗くても、どんなにどんよりしていても、ぴりぴりしているところでも、**感謝の言葉で一気に波動が明るく軽やかに変わります。まさに言葉のチカラ**です。

たった一つの言葉を発することで、一瞬にしてその場が明るくなるのです。

言葉がどんなチカラを持っていて、どんなふうに使ったらさらにパワフルになっていくのかをこの本で紹介していきましょう！

言葉のしくみを理解することで、びっくりするような現象を引き寄せて奇跡を身近に感じられるような流れを創りましょう！

私は精神科医ですが、薬を使わない治療を追求して、クリニックでアロマ（香り）、クリスタル（水晶）、ハンド（手から出る愛のエネルギー）、ヴォイス（愛を込めて歌う癒し）ヒーリングなどホリスティック（統合的）な治療を行っています。

さらに診療以外に、ヒーリングセミナー、ワークショップ、講演会、癒しの本の執筆などで「愛と笑いの癒し」を多面的に行う中で、積極的に言葉のチカラを活用しています。

とくに本を書いて、言葉のチカラを最大限に活用し、「人生のしくみ」をわかりやすく解説してきました。本を読むだけで人生観が大きく変わり、悩みが消えてニコニコ笑顔になる人が続出しています。

次々に書き続けて、この本で「言葉のしくみ」「言葉のチカラ」について解説することになりました。

「言葉のチカラ」を使って、人生が大きく変わった人をたくさん見てきましたので、ここで少し紹介したいと思います。

たとえば、診療やセミナー、講演会などで最後に必ず伝授する最強の言葉の一つとして、**「すべてはうまくいっている！」**という言葉があります。

これを楽しく自分の潜在意識にインプットできるように、「カニ踊り」を考案しました。

カニのハサミのように両手でピースサインを作って、左右に横歩きをしながら「すべてはうまくいっている！」を繰り返し七、八回くらい唱えるのです。

言葉のフレーズは、声に出して言うと、大脳がキャッチして全身に伝えます。今までの実験では三回以上言うと新しい思い込みになるので、少なくとも三回唱えるようにしています。

このカニ踊りを覚えて、毎朝唱え始めた中学生の女の子が急に勉強を始めて二五〇人抜きでトップになり、見事レベルの高い進学校に合格しました。

高校生になってもまたそこでぐんぐん成績を上げて、見事に国立大学現役合格を遂げました。東京の講演会に熱心なファンのおばあ様と一緒にいつも参加しています。自宅でも繰り返し「カニ踊り」をして、最強の言葉「すべてはうまくいっている！」をしっかり潜在意識にしみ込ませたのです。

「カニ踊り」による「すべてはうまくいっている！」の「言葉のチカラ」が素晴らしいことが実証されました。

どんな睡眠剤も効果がなくて困っていた女性にも、寝る前に何百匹もの羊を数える代わりに、「すべてはうまくいっている！」を唱えることを薦めました。

だんだんと眠れるようになって、最後は心の中で「すべてはうまくいっている！　今日もぐっすり眠れて幸せ〜」と思うだけでスッと眠れるようになりました。

十五年間うつ病で抗うつ剤を飲み続けた青年が診療を受けたときも、

「大丈夫、治ります。カニ踊りを朝、昼、晩、寝る前、一日四回やってください！」

と薦めたら、部屋の天井に大きく「すべてはうまくいっている！」と書いたものを貼って、寝るときにもずっと呪文のように唱えてぐっすり眠れるようになり、やがて薬がどんどん減ってきて、本当に仕事ができるまでに回復しました。

ずっとアルコール依存症に悩んできた男性が相談してきたときも、

「大丈夫です。もっとお酒をゆっくり味わって飲みましょう！　だんだん量が減ってきて、美味《おい》しくなりますよ！」

とアドバイスしました。

「先生で六人目のドクターですが、『お酒をやめなさい』と言わなかったのは先生が初めてです。確かにお酒が苦いです。美味しく味わって飲みます」

とびっくりされましたが、本当に量がどんどん減って肝臓もよくなり、すっかり元気になりました。

「大丈夫です！　治ります！」と医師はなかなか言えませんが、私は愛を込めて断言するようにしています。

ゲームセンターのポーカーゲームにはまり、精神科にかかってきた主婦がいらしたときも、

「大丈夫です！　もっと極めましょう！　気がすむと卒業します」

とお話ししました。

「先生が六人目の医師ですが、ゲームをやめさせない先生は初めてです」

と言って、「極めるぞ」と勇ましくゲームセンターに向かったら、二週間で極めて気がすんでパタッとやめてしまったそうです。嬉しそうにニコニコ笑顔で報告に見えました。

統合失調症で職場に復帰したがっていた若い男性にも、

「大丈夫です、必ずよくなります。ベルガモットのアロマを嗅《か》いでくださいね！」

とアドバイスしました。

「先生で六人目の精神科医ですが、初めて『よくなる』と言ってもらえました。嬉しいです」と男泣きをされました。本当にその後、元気になって職場に復帰しました。

どうも私は「六人目の医師」の役が多いようです（笑）。

とにかく**「すべてはうまくいっている！」「大丈夫です。あなたはよくなります！」という言葉のチカラで、どんどん元気になっています。**

言葉のチカラは素晴らしい！

では、さらに詳しく「言葉のチカラ」を解説していきましょう！

クリニックに来院される女性で、コールセンターで働いていて、クレームの電話にかなりストレスを抱えている場合がよくあります。そのときに「すみません」ばかりを連発するとエネルギーダウンするので、パッと切り替えて「わざわざお電話いただいて、本当にありがとうございます！」と「ありがとう」のエネルギーで相手を包むと、その感謝の言葉に愛も入って、お互いの疲れがどっとなくなります。

ひたすら**「ありがとうございます」作戦で、ストレスが減って仕事が楽しくなる奇跡が起こります。**

レストランに行くときも、緊張しているウエイターさんに「素敵な笑顔をありがとう」とにっこり声をかけると、それだけで相手もにっこりして、急に雰囲気が優しくなります。サービスもよくなります。

サービス業の場合に、共通して言葉のチカラを発揮すると、奇跡が起きるのです。

とても印象的なケースに遭遇したことがあります。

インドへ向かう飛行機の中で、貫禄たっぷりのキャビン・アテンダントさんが、なかなか水をくれないというツアー仲間からの相談がありました。

「待ってました。お安い御用です」とばかりに、しばらく愛を持って彼女を観察していたら、休憩に入ったキャビン・アテンダントさんがお化粧直しを始めました。今がチャンスと思って「Ｂｅａｕｔｉｆｕｌ！」と笑顔でジェスチャーを加えながら、アイコンタクトもしっかりやって、目からも愛を最大限に送りました。

「美しい！」という言葉だけで、彼女は素晴らしい笑顔になって、急にサービスが素晴らしくよくなりました。

水だけでなく、ジュースもビールも、あるもの全部をツアー仲間全員に持ってきてくれました。仲間たちからは、「びっくり！　魔法かけたみたい」と言われました。

魔法ではなく、言葉の不思議な力なのです。


その人が一番言ってほしい言葉をタイミングよく、パッと投げかけることができたら、本当に魔法のように相手の態度が柔らかくなって、その人からも愛がびっくりするほどあふれてきます。

本来、私たちは愛を出したくてしかたがないのです。きっかけを求めているのです。そのきっかけを言葉でスイッチオンしてあげましょう！

相手はにこやかに、惜しみなく愛を出し始めます。

言葉には不思議な力があって、相手から愛やパワーを引き出すことができるのです。

さっそく言葉のチカラを日常生活に活用してみましょう！

まずはアイコンタクトです。そして相手が喜ぶ言葉をさっとさりげなく言ってあげます。

それも短くシンプルに愛を込めて、です！

愛を込めると、不思議なパワーが自然に出てきます。

言葉そのものにもパワーがあります。さらに愛を加えて最強の言葉になります！

言葉は「自分と宇宙をつなぐ道具」です

では、なぜ言葉に不思議なパワーがあるのでしょう！

言葉の謎解きをここでしてみましょう。

「はじめに言葉があった」という有名な聖書の言葉があります。

新約聖書のヨハネによる福音書の第一章に出てきます。

とても有名なフレーズで、大切な解説なので、ぜひここでしっかりと紹介したいと思います。

「はじめに言葉があった。言葉は神とともにあった。言葉は神であり、この言葉ははじめに神とともにあった。万物は言葉によってなり、一つとして言葉によらずなったものはない。言葉の内にいのちがあった。いのちは人間を照らす光であった」

宇宙は、まさに言葉から始まったのです。

それは、どの言語でも同じです。

言葉が発せられると、宇宙にその言葉の響きがこだまして、その言葉に反応するすべてのエネルギーが集結されます。同じエネルギーに集まれ～と声かけをするかのようです。

どの言語も同じように宇宙に共鳴しますが、**日本語は特別です。母音からできているからです。**

母音でできている言語は、宇宙に共鳴すると創造性を強く発揮します。それは自然界の音に近く、言葉と事象とがとても近い関係なので、言葉からすぐにことを引き寄せるのがより早いのです。そして、それは今までずっと続いてきた真実なのです。

「神とともにあった」とあります。

古事記にもたくさんの神さまの名前が出てきますが、宇宙が創られたときに、母音が主体となってできたので、聖書の言葉は日本語の始まりを表現していることになります。むしろ、聖書よりも古事記のほうがより具体的に表現されているかもしれません。

私たちの世界も、**自分の思いが言葉になって発せられ、それが宇宙に届いて宇宙に満ち満ちている愛の波動と共鳴しながら創られています。**

これは、深遠な「宇宙のしくみ」です。そして自分にも直接関係する、とても大切な「人生のしくみ」でもあるのです。

「言葉の内にいのちがあった」というところは、映画『奇跡の人』でも感動的に表現されています。

ヘレン・ケラーさんが井戸水にふれながらサリバン先生に「WATER」の文字を指で書いてもらって、水とその名前を関連づけることができたところは圧巻でした。**すべての名前に意味があって、いのちを表現している**ことに気づいたときに、ヘレン・ケラーさんは三重苦の暗闇から、コミュニケーションができる光の世界へと抜け出すことができました。そしてついには大学まで行って人を導くまでに成長できたのです。

すべてのものに名前があり、その名前で呼ばれて、三次元で生きています。

言葉が三次元の世界でとても大事な世界を創造する道具になっているのです。

その名前を呼び合って、相手を確認しながら日々の暮らしを創造しています。

何を強く思ったかで、宇宙に届き、自動的にリクエストしたことになり、早いものはすぐに表面意識がびっくり喜ぶほど引き寄せます。

すぐでないものは、しばらくして忘れたころに引き寄せます。あまりにも間があくと自分が思ったことも忘れているかもしれません。

思ったことは、いつか必ず引き寄せるのです。宇宙へのリクエストに言葉という道具を使った思いが働くのです。

日常生活でも、ちょっとした言葉から流れが変わることがあります。

たとえば、予定していた夕食のレストランに行く途中、以前行ったことがある別のレストランを通り過ぎるときに、ふと、

「ここも美味しかったわね。明日はここにしましょう!」

と何気なく言った言葉がその時の流れを変えてしまい、その日予定していたレストランは平日なのにいっぱいで入れず、行きたいと言って通り過ぎたレストランに自然に引き寄せられて、そちらに変更になってしまったことがあります。

ふと思ったことを言葉にして発したことで予定が入れ替わりました。

そして、そのほうが結果的によかったことがあとからわかります。

つまり、**ふと思ったことを言葉にして発することで、宇宙が反応して流れがすっと変わってしまう**のです。

宇宙法則の一つ「引き寄せの法則」が働いて、私たちの日々の生活、人生そのものは、自分の思いが引き寄せて現実化させています。

言葉の力は、この「引き寄せの法則」に直接つながっているのです。

言葉は思いから発せられます。

思いがあって、それが言葉に変換され、それにパワーが入って言霊《ことだま》になります。

思いは、心の中にぽっと浮かんできます。それがすぐに内なる声として言葉に変換され、それを音声化するかどうかは思いの強さによります。強く思いを表現したいと思ったときに、言葉として音声化されて宇宙に発信されます。

魂からのメッセージとして直感が働くと、ふと思ったことはかなり強い言葉になり、言霊になります。

その強い思いが断定的な表現になって、創造主と同じパワーが心の奥から出てきて、その言葉にパワーが入り、言霊になります。

言葉は宇宙に届き、宇宙が受け取って世界を創ります。

世界を創る設計図が言葉なのです。

とくに**自分に関する言葉の表現は、とても大切です。**

自分をどう思っているかが、そのまま自分を取り巻く世界にすぐ反映してくるからです。

自分を嫌うと、まわりの人もよそよそしく冷たく接してくるように感じます。ますます自分は嫌われていると思い込みます。人間関係がうまくいっていないようにどんどん強く感じられます。本当はこの現象が自分の思い込みから始まっているのに、それにすぐに気づくことは難しいのです。

いろんな体験を積んでから、もしかしたら自分の思い込みのせいかもしれないと少しずつ気づき始めます。気づき始めたら、あとは流れるようにいろんなことがわかってきて、プラスの思い込みに切り替えられ、自分大好きの流れに変わっていくのです。

私は子どものころから人一倍、自分のことが嫌いで、自己嫌悪のかたまりになっていましたので、自分の体験からよくわかります。自分を嫌いになると、そのことが反映してますます自分を嫌いになっていく流れを引き寄せます。

当時は自分の思いがまわりに反映していることに気づいていませんでした。

インナーチャイルド（内なる子ども＝感情の象徴）の癒しをするようになって、自分が自分をどう思っているかが、そのまま自分を取り巻く人間関係に大きく響いていることに気づいてびっくりしました。

自分を好きになることで、まわりの人々の反応がとてもやわらかく、温かみにあふれて好意的になってきます。びっくりの展開で、今までの悪循環が大逆転して好循環に一八〇度変わってしまいました。

ここで、とても簡単なワーク（体験学習）をしてみましょう！

「大好き」と声に出して言いながら、自分をしっかりと抱きしめてください。

「大好き」という言葉の響きが心地よく手から出る愛のエネルギーとともに、皮膚からと言葉の音から耳に入るルートと一緒になって、一気にハートが癒されていきます。

ただそれだけのことなのですが、自分への大好き波動がどんなに心地よいものかを知ると、自分を認めてあげることがとても楽にできるようになります。

自分を大好きになってもいいのです。

ディズニー九十周年記念アニメ映画『アナと雪の女王』の中のヒットした歌「Ｌｅｔ Ｉｔ Ｇｏ」の日本語訳が心にしみてきて、つい何度もＹｏｕＴｕｂｅでこの歌を歌っている松たか子さんの熱唱を見て聞き入ってしまいました。

「ありのままでいい」「自分を好きになっていい」

と、まさに今の時代にぴったりのメッセージです。自分をそのまま、ありのまま受け入れて生きていくという自分を認めて、人との違いを認めて、自分は自分でいい、あるがままでいいのだという、人と比べる癖からの卒業の歌です。

自己否定から卒業する言葉――「あるがまま」

いよいよ権力者と奴隷のゲームからの卒業なのです。

これについては、前著『祈りの奇跡』（廣済堂出版）にも書いていますので、それも参照してください。

今まで権力者の言うとおりに動いて、知らないうちに主体性のない、あるいは主体性の乏しい奴隷のような意識状態で日々の生活が流れていきました。

ところが、少しずつ覚醒する魂が現れて、言うとおりに動かなくなり、独自の動きをする人々が増えて、さらには自分たちに主体性を取り戻して自由に語り、自由に行動するようになってきたのです。

コントロールが利かなくなってきたことで、社会に混乱（カオス）が生じてきています。

そこから渦（スピン）が生まれて、新しい流れが出てくるのです。

今まさにカオスが生じていますが、これも新しい流れのためのプロセスなのです。

新しい渦（スピン）は、新しい世界、新しい価値観を作り出します。

そこで言葉の役割がさらに大きくなります。あまり日常では使われない新しい言葉が、さらに新鮮な耳慣れない言葉を引き出してくれます。

「ありのまま」「あるがまま」「自分を好きになっていい」「自分の好きなことをしましょう！」「お好きなように〜」「ゆるゆる〜」「本音を話してもいい」「本当の自分の気持ちを感じてもいい」「嫌なことはやめましょう」「夢は叶う」など、今まで真逆を思ってきた人にはとても新鮮で、どきどきわくわくと胸が高鳴ってきます。

言葉に宿る不思議な力のことを、日本では「言霊」という言葉でよく表現されます。「言った言葉通りのことが現実に起こる」とか、「いい言霊はいいことを引き寄せ、悪い言霊は悪いことを引き寄せる」などということを聞いたことがありませんか？

言霊については、みなさんも少しは耳にしたことがあると思います。

実は、「言霊」にはもう一つ新しい捉え方があることを、この本でぜひみなさんに紹介したいと思います。

カギとなるのは、**日本語の源流である「カタカムナ」です。カタカナはカタカムナから**

始まっています。先史時代の日本にあった超古代の言語といえます。

詳しくは第3章で紹介しますが、カタカムナを初めて聞く人も多いと思いますので、ここでは、私たちが発音するヒ・フ・ミ・ヨ～の**音それぞれに「思念（言葉のもつエネルギー）」が込められている**ということをぜひ覚えておいてください。

たとえば、「愛（アイ）」を思念で読み解くと、「ア＝感じる・生命」「イ＝伝わるモノ」で、「いのちを感じて伝えるもの」というエネルギーの意味になります。

カタカムナという新しい「言霊のしくみ」から見ると、その言葉がもつ本質的な意味、エネルギーの意味がわかるのです。

雪の女王は「ありのまま」を歌いあげていましたが、今までみなさんに「あるがまま」を勧めてきたので、「あるがまま」もカタカムナの思念読みをしてみましょう。

「ありのまま」は、ア＝感じる・生命　リ＝離れる　ノ＝時間をかける　マ＝受容・需要
マ＝受容・需要　をつなげることで、エネルギーの意味は、「感じて離れて時間をかけて受け入れる」ということになります。

「あるがまま」は、ア＝感じる・生命　ル＝止まる　ガ＝チカラ　マ＝受容・需要　をつなげてみると、「いのちを感じながら、チカラを受け入れる」という意味になり、しっく

りきます。

「あるがままに生きる」とは、自分のいのちが感じるままを受け入れて行動することになるのです。

これは素晴らしい自由な道への流れです。

誰かの言うとおりにするのではなく、自分の思うままに、いのちとして感じるままに生きることが、とても当たり前のように思えますが、なかなか今までできなかったのです。

古代の人々のほうが大らかに生きていたように感じるのは、この「あるがままに生きる」ことを実践していたからでしょう！

近代文明がここまで成長してきて自由が広がったかというと、逆に不自由になってきているのが現実です。いつのまにか文明に飲み込まれて、「あるがままに生きる」ことが難しくなってきています。

「あるがままに生きる」人々は、都会ではなく自然豊かな場所に住んでいます。「あるがままに生きる」ことを選択すると、自然に都会を離れて自然のほうへと魂に導かれて動きます。

それでは、どうしたら「あるがままに生きる」ことを選択できるのでしょうか？

「人生のしくみ」として、そのために大切なことがあります。

いろんな時代の過去生のやり残しや思い残しをしっかりと終えると、つまり、**人生の宿題が見事に終わると、「あるがままに生きる」流れに移行する**のです。

クリニックやヒーリングセミナーでたくさんのケースを見てきましたが、魂の宿題を終えた人は顔が変わり、リラックスして笑顔になり、「ゆるゆるの気持ち」が自然に湧いてきます。今はやりの「ゆるキャラ」になってくるのです。

「ゆるキャラ」は実にベストタイミングで日本の社会に登場しています。

私たち日本人が、ずっと真面目《まじめ》に生きてきて、真面目に仕事をしてきて、ようやく自分を認め、「ゆるゆるの気持ち」を大切にしてリラックスするタイミングだからです。私たちが魂の宿題に取り込んでいるうちは、悩んで緊張しています。

魂の宿題が終わって、ほっとすると、やっと「ゆるゆるの気持ち」が持てる余裕が出てくるのです。

ゆるゆるになると、不思議なことに発する言葉がパワーアップして、言霊になります。まさに今、ゆるキャラが登場して日本全国にどんどん増えているのは、私たちが発する言葉がパワフルになるときなのです。

人生ゆるゆる〜緊張を解いてゆるゆるに〜言葉もゆるゆるに〜

実は、言葉がゆっくりとゆるゆるになると、母音がはっきりと発音されて、それが宇宙に放たれて、聖なる言葉に変換されます。

ゆるゆるになると、「○○しなくてはダメです！」「そんなこととても無理。できない！」と言っていた人が、「それでいいんじゃない〜」とか、「大丈夫よ〜」「なんとかなるわ！やってみましょう！」などとプラスのせりふがゆっくりと笑顔で語られるようになります。

私たちがゆるゆるになるときは、本来の自分になって自然体なのです。あるがままの自分でいられるので、気持ちよくなってゆるゆるになります。そしてここぞという大切なときに、しっかりと大量のエネルギーを中から爆発させることができるのです。

日本語が本来あるがままの自然を映し出して作られた言語なので、あるがままの自然体になるほど自然な言葉になって、どんどん自然界のパワーがあふれてきます。**あるがままになるほど、言霊が強くなるのです。**

なぜかというと、不自然な自分らしくない状態のときには、自分の身体に意識がきちんとはまっていないので、本来のエネルギーが中から出てこれなくて、さらに自分に自信がないので声も小さくなり、せりふも弱くなります。

自信を持って、こうです、とはっきり断言できないのです。「そうかもしれない」とか、「おそらく」「もしかしたら」と曖昧《あいまい》な表現がちりばめられてしまいます。

ところが、本来の自分、自分らしい自分になると、急に明るく元気になって笑顔が自然にあふれ出て、言葉もしっかりとはっきりした内容が出てきます。表現がクリアでわかりやすくなるのです。自分が自分らしくあることが一番気持ちのいい状態です。

もっとよく見せようなどと、小細工をしないので、びくびくすることもなく、とてもリラックスした状態です。

誰かの言葉をそのまま受け売りで、自分が心底思っていなかったり、ちゃんと理解ができていないときも、声は小さくなり、表現もぼやかして出てきます。

言葉をパワーアップさせて、言霊を自然に使えるようになるには、自然体の自分らしいあるがままの状態を心がけましょう！

今のゆるキャラのように、歩くニコニコのゆるキャラになりましょう！

きっと、あなたから発せられる言葉に力強さとわかりやすさが加わって、相手との意思疎通、コミュニケーションが楽になって、人間関係もバッチリです。

あなたは今日から、言霊を語る歩くゆるキャラです！

自分に「自分を認める言葉」をかけていますか

自分自身をしっかりと認めることは、穏やかな自分を保つためにはとても大切です。

まず、**自分の存在を無条件に認める言葉が、「生まれてきてくれてありがとう！」です。**

これも素晴らしい奇跡を起こすチカラを持った言葉です。

無条件に認めるところがミソです。

どんな自分でもいいのです。今まで健気《けなげ》に生きてきたのですから、自分をここでしっかりと認めて、インナーチャイルド（内なる子ども＝感情の象徴）を癒してしまいましょう！

これによって感情のブロックがどんどん取れて、言霊を使うことがスムーズになります。

自分の思いから人生がスタートしています。その自分を無条件に認めることは、そこから出る言葉も認められてパワフルになります。

自分のことが大嫌いな人から出る言葉は、とても弱いです。嫌いなことを表現するときだけ急に強くなります。自分が嫌いな人は、他人も嫌いです。すべてが嫌いです。嫌いなことに集中して、そこがパワフルになります。ところが、必ずいつか飽きてきます。そのとき大逆転が起きて、自分が好きになり始めると早いです。

もし、あなたがまだ自分のことを好きになれないでいるなら、ぜひ自分を認める言葉を言いながら、自分を抱きしめてあげてください。

「生まれてきてくれてありがとう!」

「今日まで生きてくれてありがとう!」

「今日まで本当によく頑張ったね!」

「一生懸命に生き抜いてきたね!」

など、しっかりと自分自身を認めてあげることで、大きな奇跡が起きます。

まず、まわりの人々の反応が大きく変わります。みんな確実に優しくなるのです。認めてくれるようになります。家族や職場がぐんと明るくのびやかに変わります。内なる光があふれ出るので自然に若返ってきます。

自分を認めてあげるだけで、自分が住む世界が一変するのです。

なんだかわくわくしてきませんか?

すぐにやりたくなりますね! ぜひ、今すぐにやってみてください。

とても簡単、とてもシンプルです。

自分を抱きしめて、自分を認める言葉を声に出して言ってみましょう！

心も身体もゆるゆるになって、ほんわか温かくなってきます。自然に笑顔が出てきて、明るい思い込みをいくつも思えるようになります。

自分を認めることは、お腹にいる「インナーチャイルド」という感情の象徴的エネルギーがとても満足して、元気いっぱいになります。

感情が満たされていると自然に前向きなポジティブな思いがメインになるために、プラスの言葉があふれ出てきます。ルンルン元気な状態で発する言葉には、ルンルン元気なパワーが入るのです。当然、言葉のチカラが最強になってきます。

言葉にルンルンパワーを入れましょう！

それには、急がば回れで、自分自身に愛を注いで自分をまず元気にすることです。

寝る前に自分をしっかり認めてあげましょう！　最後の章に最強の言葉をたくさん紹介していますが、最初から大切な話をしておきましょう。

自分を大好きになってあげてください。

一生懸命に生きている自分を、まず認めてあげてください。

そして自分の好きな食べ物を食べましょう！

行きたいところに行きましょう！

会いたい人に会いましょう！

自分を認めて、やりたいことをすることで、ますますルンルンして、会話も弾み、言葉にチカラが湧いてきます。

インナーチャイルドの癒しのワークは、とても深くて解放がかなりできます。

人気のワークですが、これを自分でもすることができます。『インナーチャイルドの癒し』（主婦の友社）という本も書きましたので、ぜひ参考にしてみてください。

インナーチャイルドは、お腹にいます。だからお腹を抱えて笑うのが大好きです。笑うとお腹から黄色い光線を出します。人気アイドルのコンサートなどで嬉しくて大きな声を出すのを黄色い声といいます。インナーチャイルドが喜んでいるので、黄色い声なのです。

それでインナーチャイルドの本の表紙を黄色にしました。


日本語は、エネルギーの本質を表現していることが多いのです。

人間関係が合わないことを「色が合わない」とか「波長が合わない」と表現します。

ほかの人に合わせようと無理をすると、自分らしくなくなるのでつらくなってきます。人の色に合わせるのではなく、自分の色を出すほうが気持ちよく、楽になって生き生きと輝いてくるのです。

自分をもっと認めて、内なる光を思いきり出しましょう！　きっと同じ光を放っている人が気づいて寄ってきます。お互いに今出している光の色が同じなので共鳴できて、気持ちよくハモります。

そんな人とつき合っていけば、無理なく自分も自然体でいられるのです。

今はもう無理をするのをやめて、ルンルンのつき合いをしましょう！

緊張がなくなり、自分を抑えることもなくなり、自分らしさを表に出せるようになります。そのほうが言葉にもパワーが出てきます。

発した思いが何倍にもなって戻ってくる宇宙の法則

思いの強さによって、その言葉のパワーは変わってきますし、それを聞いた人の受け取り方でも、パワーは変わってきます。

最近クリニックを訪れたある女性が、マイナス言葉を浴びせられ脅されて、その言葉のイメージだけで不安と恐怖に、うつになっていました。ところが、ヒーリングしてみると、思ったほど彼女のハートは傷ついていなかったのです。

マイナス言葉を発している人のエネルギーがとても弱くて、まるで大きな堂々とした犬に子犬がキャンキャンと吠えているような程度でした。

その言葉を受け取っていた人が見事に跳ね返していて、何も心配する必要がない状態でした。むしろ、脅した人のほうに自分のマイナス言葉のパワーが戻ってきて、これから引っくり返る寸前という状況でした。脅している人のほうが心配になり、早く気づいてほしいと応援の愛を送りました。

言葉の表現は強烈であっても、発している人のパワーが弱ければ、それほどのパワーが出ていないので心配しなくてもいいのです。

あとから、とても元気だという報告がありました。かえって自立への道が開かれてきました。

ここで大事なことは、**言葉に乗せられた思いのパワーは、必ず本人に返ってくる**ということです。宇宙に放った言葉は、消えることなくいろんなものと共鳴して、また本人のところに戻ってきます。

愛の言葉は、たくさんの人々の愛と共鳴して、大きな愛になって戻ってきます。まさか自分が発した愛が増えて、素晴らしい大きな愛に成長して返ってくるとは思っていないので、「なんて自分はラッキーなのだ」と神に感謝します。

脅す言葉は、たくさんの人々の不安と恐怖と共鳴して、大きな不安と恐怖となって、本人に戻ってきます。戻ってきたときは、まさか自分が発したものが大きくなって返ってくるとは思っていないので、また「自分はついていない」と運命のせいにしてしまいます。

自分が発した言葉は、いつのまにか大きく成長して自分に返ってくるのです。

素敵な宇宙の言葉の法則です。これは知っておくと、自分の望むように活用できます。

言葉はそのとき発して終わりではなく、人や宇宙を巡って、いろんなエネルギーをくっつけて、やがて発した人のところにブーメランのように戻ってきます。つまり、言葉は消えることなく、宇宙で生き続けているのです。

その思いや言葉が地球を覆っている想念帯にたまっています。大気圏と呼ばれる厚い空気の層に重なっています。その想念帯はいろんな人が発した思いや言葉があふれていて、共鳴し合っているのです。

思いが音声化して言葉になり、その言葉にいろんな感情が加わって、パワフルに発動します。

元気いっぱいの明るいパワーを言葉に込めましょう!

愛を込めると一気に宇宙の愛と共鳴して、そのパワーは最強になります。

それが祈りになると、さらにパワフルになります。祈りについては前著『祈りの奇跡』にしっかりと書いてみました。

本書ではさらに祈りを構成する言葉のチカラについて解説していきたいと思います。

次の第2章はイメージ力の話です。言葉とイメージはペアのように仲良しです。イメージによって言葉のチカラも倍増します。面白い流れを楽しんでください!

第2章

望み通りの人生をつくる「音とイメージ」のチカラ

あなたの「内なる言葉」が現実を引き寄せています

内なる言葉とはなんでしょうか？

ずばり、音声化していない、心の中だけで思っている言葉です。

あなたの心の中の会話です。

それが人生のもとを創っていくので、実はとても大切な心の会話です。無意識に話しているので、表面意識はあまり気づいてはいません。

ぶつぶつとつぶやくように心の中でひそかに話しているつもりですが、とても大きな声で宇宙に話して（放して）いることになります。宇宙はとてもテレパシックです。

音声化する前にも心の中で言葉を使っていろんなことを思っています。思っていることをそのまま音声化しないで内的言語をそのままエネルギーで伝えるのが、テレパシーです。

いつの間にか、私たちはテレパシーも日常で使っています。

ふと懐かしい人を思ったとき、その人から久しぶりに電話やメールをもらったり、道でばったり会ったりすることがあります。思っただけでその人とエネルギーで交流して現実にもつながる現象です。

今の文明で急速に発達した携帯電話も、実はこのテレパシー能力を取り戻すためのプロセスです。携帯電話はだんだん軽く小さくなって、そのうち耳にちょっとつける感じになってきます。

古代の人々は、今以上にテレパシーを活用していました。ネイティブアメリカン（アメリカ先住民）やオーストラリアの先住民のアボリジニなどは、テレパシーで違う部族の長が集まって会議をしたり、個人でも会ったりしていました。集まって会議をするときも、それぞれ部族の言葉が違うので、火を囲んで無言でテレパシー交流をして、終わると一斉に立ち上がったそうです。

宇宙人も天使たちもテレパシー交信しています。

いずれ、私たちもテレパシー交信する時代を迎えますが、その前に言葉の不思議な力を知っておくと、その流れがさらにスムーズになってきます。

言葉のチカラを知って今以上に日常に活用していくと、どんどんテレパシックになって、面白い毎日をクリエイトできるのです。

私たちは日々進化しています。交流する方法もどんどん進化しています。テレパシーは、イメージと言葉で伝わっていきます。両方とも大切な要素なのです。内的な言葉、対話がツーツーに抜けていきます。

思っただけでも、その対象をすぐに引き寄せてしまうことがあります。まだマイナスに思う癖が残っていると、**「こうしたい、でも無理よね、でも、もしかしたらうまくいくかもしれない、いやいや無理に決まっているわ～」**と内的なつぶやきを全部書いてみると、このようになります。

エンドレスに次々と自分で足を引っ張るかのように、マイナスの思いとのキャッチボールを心の中で無意識に繰り広げてしまいます。

自分ひとりで綱引きをしているようなものです。ちっとも前に進まない、だから宇宙も「一体、どっちなの、やりたいの？　やりたくないの？」とわからなくなって**引き寄せが後回しになります。**それでも宇宙は根気よくはっきりするまで待ってくれています。ベストタイミングに決断することを知っているからです。

思いがぐらぐら、どっちつかずで揺れるとき、何にもインスピレーションが思いつかずに悶々としてしまうとき、思いの足踏み状態です。自分もよくわからなくて、決断できないときには、棚上げ状態になります。

悩み続けるとエネルギーの消耗になります。自分の頭の上に便利な棚をイメージして、そこに一時的に保留という形で活用しましょう！

そんなときは、あわてずにじっくりと時を待ちます。**即決できないときはまだベストタイミングではないのです。**その間、自分の能力をさらに伸ばすことに専念していましょう。自分が成長して熟してきます。

待ちの状態や硬直状態が変化するとき、棚卸しをするときがくると、ピンときたり、はっきりとしたイメージが浮かんだりして、また動きだすべストタイミングを魂さんが教えてくれます。

言霊にとって、イメージとは、さらに現実化に向けての次の段階なのです。

逆にイメージしながら言葉を発することで、パワフルに変容してしっかりと言霊になります。

夢実現のプロセスから見ても、まず「思うこと」、そして「イメージすること」、さらにそれを「絵に描き、文字に書くこと」でどんどん夢実現化に向かいます。

さらにそれを内なる言葉に留めないで、伴侶《はんりょ》や家族や友人に「熱く語ること」で、言語化プラスイメージ化になってきます。

では、イメージとはなんでしょう？

イメージとは、思いを心の中に形として描くことです。

カタカムナでイメージを思念読みしてみると、イ＝伝わるもの　メ＝指向、思考、芽ジ＝示されるモノ　つまり、「伝わる思考が示されるもの」となります。思考が先にあって示されるものです。

イメージは、言霊と組むことで、さらにパワーアップしてきます。

あたかもそのときの出来事が目の前にまた展開しているかのようにイメージしながら情熱的に語ると、それはイメージと言霊がダブルに強くなって相手にしっかり伝わるのです。

つまり、**イメージしながら話すことが大切です。**

講演会で熱く語ることが多いのですが、必ずイメージしながら話しています。

そのほうが、相手にそっくり真実味を持って伝わるからです。聞いたほうもイメージが伝わるので、具体的でわかりやすい話を聞いたという印象が残ります。

イメージの力を活用しましょう！

そのためにイメージについての理解を深めましょう。

音がイメージを呼び出すしくみ

そもそも、**宇宙はイメージに満ちあふれています。**神聖図形がいっぱいです。

私たちが**イメージすることで、宇宙の神聖図形と共鳴して形が降りてきます。**

音（振動）が形をつくることは現代科学でも証明されています。二〇世紀に、ハンス・イェンニというスイスの科学者がグリセリンなど粘着性のある液体に高周波を当てて振動させたら、自然界に存在する宝貝、珊瑚《さんご》の芽、魚の骨、葉の葉脈、花などの形が鮮やかに現れたそうです。そしてこれは誰でも追試できる実験なのです。

イェンニさんは、ほかにもスピーカーの上に振動板を置いてトノスコープという実験をしています。サンスクリット語やヘブライ語を発音すると、その母音の文字が聖なるシンボルとして振動板上に現れたのです。

「オーム」という音で実験すると、最初に円をつくり、次に正方形と三角形をつくり、ついにマンダラのようなシュリ・ヤントラの形になったそうです。

さらにバッハやモーツァルトの曲をこの装置で視覚化しています。

いろんないのちのイメージは、すでに宇宙空間に存在していて、そこに音（言葉）が発せられると言葉に聖霊が宿って、言霊になるのです。

なんて素敵なシステムなのでしょう！


それぞれのいのちの名前を呼ぶと、いのちの響きがやってきます。


私も香りで似たような体験をしたことが何度もあります。あいにくアロマの持ち合わせがないときに、「ラベンダーの妖精さん、来てください」とラベンダーの名前を呼んだら、本当にラベンダーの香りがしてきました。ベルガモットもジャスミンも、いつもクリニックで使っている仲間たちを呼ぶと、本当に香りがしてくるのです。香りの名前を呼ぶと、ちゃんと妖精が来て香りを運んでくれるのです。

甥《おい》が意識不明で入院したときにも、クリスタルのお気に入りのアメジストがあったら、と一瞬思ったのです。一緒にホピの予言の岩のさらに上の巨石群の聖なる場所で、エネルギーチャージをしたアメジストです。三年間行方不明になっていたのですが、一生懸命にイメージして祈ったら、新しいナップザックのポケットに入っていました。

アメジストが思いがけないところから出てきたのでびっくりしました。ラベンダーとそのアメジストを使って、遠隔ヒーリングをしたら、十分後に意識が戻りました。

イメージの力はとても強いのです。

そこに必死の愛が入ると、びっくりの奇跡を起こします。

様々な不思議体験をすると、もしかしたら宇宙はとてもやわらかくて、移動も瞬間にできてしまうのではないかと思ってしまいます。

きっと波動が精妙になれば、表面意識の思いがもっとやわらかくなると、いくらでもやわらかい世界になってしまうのではないでしょうか?

日常生活にイメージの力を活用しましょう! 言霊とリンクさせると、さらにパワフルになります。

夢実現度や引き寄せの力がぐんと強くなってきます。

音や声がもたらす〝癒し効果〟とは

最近、クリスタルボウルやシンギングボウルによる演奏でヒーリングコンサートをする方が増えています。

クリスタルボウルとは、超古代文明アトランティスに由来するといわれていて、クリスタル文明の時代に、天然の水晶を高熱で溶かして深い鉢のような容器の形にしたものです。たたいたり、こすったりするといい音が出るので、音楽療法やヒーリングに使われています。

最近は、いろんなクリスタルや貴金属も入った新しいタイプのクリスタルボウルが出ています。より倍音効果が強く、より薄く軽くなって様々な振動を生み出しています。クリスタルボウルの響きは六〇〇メートルまで届くほど振動します。身体にはすぐに反応があり、緊張しているときの交感神経が緩んでリラックスでき、免疫力も増してきます。

シンギングボウルも七種類の金属からできているボウルです。チベット浄化音ボウルとも言われ、チベット仏教で儀式に使われる法具の一つです。

同じように、たたいたり、こすったりして鳴らすことで癒しや浄化をもたらします。

私も両方持っていて、セミナーやスクールの瞑想《めいそう》で活用しています。

クリスタルボウルやシンギングボウルの音が本当に私たちの細胞に大きく影響していることを、シンプルな実験で試すことができます。

お持ちの方は、ぜひ試してみてください。びっくりの楽しい実験です。

クリスタルボウルやシンギングボウルに水を張って音を出していくと、水面に幾何学模様ができて、さらに音を出し続けていくと、どんどん複雑な美しい模様になります。もっと続けると、倍音効果で水がまるで沸騰するかのようにたくさんの水滴が跳ね上がって、三〇センチも飛び上がるようになります。

私たちの身体は七〇～八〇%が水ですから、クリスタルボウルの調べで細胞の水が跳ね上がるような振動を実際に受けているのです。

音は波動として身体に大きな影響を受けています。日々どんな音を聞いているかは、とても大切なのです。

嫌な音、不快な音は、我慢しないで聞かずにすむようにしましょう。音には敏感になりましょう。自分の世界観に入れる音、音楽にはこだわりをもちたいです。インプットされた音のプールから言霊やイメージが生み出されるからです。

好きな音、心地よい音を選んで聞くようにしましょう。

自分の細胞たちに、いい音、いい響き、美しい神聖な形を取り入れましょう。

美しい音楽を聴くと、心にも細胞にも美しい響きと形が届きます。

それは、音の泉のようにしみこんで蓄えられていきます。次に自分が声を出すときに、プールされた源からあふれてきます。

最初の一音を出すときに、その響きがそのあとの流れを創ります。第一声がとても大切なのです。日本語はとくにほとんどが母音でできているので、最初の母音で宇宙へのチャンネルが入り、どんな世界につながるかが決まります。

それをどんなイメージを膨らませて第一声を決めるか、です。

第一声でその人の印象が見えてきます。挨拶のひと言でその人の状態が見えてきます。

声はその人の魂の響きを表しています。初対面なのに声を懐かしく感じたらそれはきっと過去生（過去の人生）のどこかの時代で仲良しだったのです。

その人の声を怖く感じたら、過去生のどこかで怖い体験をしたことがあるからでしょう。

声の中にその人の魂の歴史を感じるからです。

第一声や最初の挨拶のひと言で魂のつながりが見えてきて、それがイメージになります。たとえば、子どもたちが学校から帰ってきたときに、姿はまだ見えないけれど、「ただいま」という第一声で、いいことがあったか、嫌なことがあったかがお母さんにはわかります。声のトーンで子どもの気持ちがわかるのです。

「今日、何かいいことがあったの?」

「今日、学校で何か嫌なことでもあったの?」

と、子どもの声の調子に合わせて、お母さんの第一声も変わってきます。

「えっ、お母さん、何でわかるの!」

と子どもにびっくりされるかもしれません。

電話でもそうです。親しい人からかかってきた声の調子で状態がイメージできるのです。最初の一声で、その人の調子や状態がわかるのです。

しばらく声を聞いていないと、状態が見えないので、ちょっと不安になりますが、電話で話しているとブランクがあっという間に埋まって、その人の笑顔がイメージで伝わってきます。実は、イメージで人との交流が保たれています。

今の自分に必要な人は「魂の交流度」でわかる

イメージが湧くということは、エネルギーの交換をしていることなのです。

イメージが湧かないのは、意識がそこに向いていないか、エネルギー交換をしていないことになります。

その人のイメージがしっかり湧くとき、きちんとその人を意識して、注目して、ちゃんと交流ができています。

名前を聞いて、パッとイメージが湧く人が、今の自分に必要な脇役です。

たとえ好きな人でなくても、嫌な人でも、必要があって自分の人生の舞台に登場しているのです。

その人がとても意地悪な人なら、あなたは「許す愛」をその人から体験することができます。まわりがいい人だらけだと、「許す愛」を体験できないのです。実は、自分の愛を深めるにはとても大切な脇役の人なのです。

もしその人がイメージとしてよく出てくるなら、大事な脇役さんだと腹をすえて取り組んでみてください。そのうちにイメージが湧いてこなくなったら、しめしめです。脇役の必要がなくなってきた証拠です。

イメージが湧くかどうかで交流の度合いがわかるのです。

パッとイメージが湧かないのは、今の人生の舞台の脇役ではなく、過去の舞台に登場した人かもしれません。

ずっとご無沙汰《ぶさた》している人のイメージが突然パッと浮かぶことがあります。夢の中にも出てきたりします。相手がこちらを思ったときに浮かぶことがあります。その人に思われているのです。

偶然その人に出会ったり、突然電話がかかってきたり、メールが来たりします。

その人が自分の人生の舞台の新たな脇役として再登場するのです。

人のイメージは、その人の真実の姿を表しているとは限りません。ごく一部かもしれないのです。この人はこんな人と決めていても、ほかの人には違うかもしれません。

お互いの交流の中でどんな役を演じるかで、その人の印象やイメージが変わってくるかららです。

久しぶりに脇役を演じてくれるときに、以前はちょっと意地悪で苦手だったのに、今回の脇役はとても応援してくれる役だと、笑顔に癒されたり、さりげない言葉に励まされたりして、びっくりすることがあります。

もちろん、しばらく会っていない間に、それぞれがいろんな体験をして成長していることもあるでしょうが、人間関係でのイメージはその時々で変わると思っていると気が楽になります。

お互いに人間関係で、もまれて成長し合っています。その時々でお互いのイメージが変わることも面白いと思ってみましょう！

人間関係はかなり流動的なのです。

さて、あなたのイメージはどのように映っているでしょうか？

今日はどんな役を演じますか？

このフレーズはとても大切です。**「今日はどう演じるか」という視点がもう今に生きている感覚だからです。**

イメージが湧かない人は、過去に意識が向きすぎて、もうすんでしまったことに、まだくよくよしています。

過去は変えられないけれど、それをどう自分が思うかは変えることができます。

あのときはそれが自分の精ぃっぱぃの選択でそれでよかったのだと全肯定することで、過去をそのまま受け入れて、次に進めるのです。

最強の言霊の一つ、「これでいいのだ!」は、今に意識を向けるための魔法のパワーを持っています。

この言霊を活用すると、今に生きることができて、イメージの力も強くなります。今までの人生をすべて受け入れることができると、ぐんと前に進むことができます。余裕が生まれて、イメージの力も倍増です。

言霊とイメージをどんどん組み合わせて、夢実現にGOです!

「マイナスイメージ」を一瞬で切り替える方法

イメージをするときに、不安があると暗いマイナスのイメージが湧いてきます。それは過去のデータに基づいて、「またこうなるわよ〜」と耳元でささやくエゴという思いのエネルギーが影響して、不安のイメージを作ります。

エゴとは、本当の自分ではない潜在意識にたまりにたまっている感情がモンスター化したものです。

私も若いころは、自己嫌悪のかたまりで、マイナス思考はおまかせの暗いタイプでしたから、エゴが強烈に強くて耳元でささやくたびに闘っていました。

最強のマイナスイメージが大変得意だったのです。

ところが、あまりにもマイナスを追究して、とうとう飽きてきました。疲れ果てたのです。

そうなると、意識の向くほうが逆になります。

バンバン夢を叶えている人を見て、それまでは別の世界の人と思って遠ざけていたのですが、気になってしかたなく近づくようになってきたのです。

第4章で紹介した人生の冒険者たちが、やたらと目につくようになったのです。

一度ウルトラマイナスを極めていると、ウルトラプラスへの道もそれほど大変ではありません。**マイナスに強いことは、プラスにも強いのです。**

とくに自分への思い方をバシッと変えてしまうと、流れがどんどん変わってくるのを強く感じます。

「できない」を「できる」に変えるだけです。

これを実際に声に出して、**「できる、できる、ヨッシャー」**と腰に手を置いて引き締めると、全身と心も引き締まってきます。

そのあと、最高にできたときの自分の笑顔とイメージを浮かべて、もう一度、言霊パワーを使います。「できる、できる、ヨッシャー」をまた元気よくはずむように言ってみます。

実際にこの本を書いていて、第3章のカタカムナの解説で煮詰まってしまいました。

内なる言葉が「カタカムナはやっぱり難しい～」と弱音を吐くのですが、いや、ここで引き下がってはいけない、言霊を活用しようと、自分で実践編に取り組みました。

本当にまわりの空気が変わって、ビビッとエネルギーが身体を回っているような感じがして、キーボードの上を手が飛ぶように動き出しました。

「やった～言霊が効いた！」とつぶやきながら、自分で言霊の本を書きながら、ちゃんと実践もしていると楽しくなりました。

すべてはうまくいっている！

宇宙には言葉でマイナスもプラスもないことをカタカムナから学びました（九二ページ参照）。

その言葉にどんな思いを付加するか、なのです。

必ず自分にできることは魂が知っています。だからチャレンジしているのですから。自分を信じる力とイメージの力は似ています。

内的言語で**「自分を信じる！」「今回は大丈夫」「イメージはバッチリ！」**と思って言ってみることです。

若いころは、超真面目で堅くてニヒルで悲劇の主人公ぶっていましたが、今は真逆のウルトラ明るい、やわらかい喜劇の主人公になっています。

まるで別人です。「私は以前、無口で暗かったのよ～」と言っても、みなさん笑いますが、本当に変わったのです。

だから、人間は変われるのだと自分の体験から断言できます。**まわりを気にせず、世間を気にせず、笑われるのを気にせず、むしろ快感になるくらい主人公になればいいのです。**

自分の人生の舞台で自分が主役なのに、脇役を演じてしまっていることに気づくことです。

誰かの言うとおりにしているのは、その人を自分の人生の主役にしてしまっています。無意識のうちに、です。主体性を取り戻すために、第5章にも出てくる「私は私、ヨッシャー！」と声に出して言ってみることです。

「私は私」、「I am that I am」は、実はとてもパワフルな言霊です。

つい意見の強い人に従っていた脇役の人生から自分でいろいろ決断して、自分が主役になったら、決めるときのパワーが最強になり、そのとき描くイメージも最強になります。

そして前代未聞の決断をしてみましょう！

いつものパターンではなく、冒険をしてみましょう！

同じパターンを繰り返すのは、つらいです。面白くないです。思いきって違うことを体験しましょう。

今までの自分とは全く違うイメージを持って冒険の旅に出ましょう。

日常生活でも、冒険はたくさん見つかります。

いつもの道ではなく、違う道を歩いたり、車で走ったり、新鮮なルートに新しい発見があります。

いつもの店、スーパーではなく、気になっていたところへ行ってみましょう。

新しい発見が待っています。

いつもではない、非日常を選び直すことです。

過去のデータでうまくいかなかったけど、まだチャレンジしたいときは、すでにうまくいっている自分をイメージします。達成して喜んでいる自分を想像して、創造するのです。

ソウゾウはカタカムナで同じエネルギーを持っていることがわかりました。同じ音は同じエネルギーなのです。


想像から創造へ！


イメージの力を最大に使っていきます。

あなたの言霊はイメージの力でさらに強くなり、素晴らしい未来を創っていくのです。

「ユートピアへの道」は今、ここから

道《みち》には同じ音として、路、未知、充ち、満ち、美知、美智などがあります。

これらの字が入っている名前の方は、道（タオ）がしっかりエネルギーとして入っています。力強いです。

カタカムナでの思念では、ミチ＝「実体が凝縮」というエネルギーです。

では、ユートピアの意味はどうでしょう！

カタカムナでは、「湧き出す統合が根源から出て感じる生命」となります。

力強く湧いてくる統合の生命や愛を感じます。

これから最強の言霊、日本語を使って、私たちは何をするのでしょう！

私たちは今回、日本人として聖なるパワフルな日本語で思い、語り、イメージして究極の平和、ユートピアを創っていきます。

そのために日本に生まれてきたのです。そのために今の環境で、今の仕事をやっています。そのためにいろんなハードルを乗り越えてきました。そのために、ずっと祈ってきたのです。これからは、もっと意識して聖なる日本語を聖なる言葉、言霊として活用していきましょう。

イメージや思いを込めて、明るく元気になる言霊を発信していきましょう。

うつや統合失調症で長年苦しかった人々は、魂の宿題をしながら光の仕事をしてきました。本当にご苦労さまでした。亡くなったことが実感できず光に帰れない霊ちゃんたちに光を与えて、光に帰るお手伝いをしてきました。

もうそろそろ光の仕事人の大切なお仕事も終わりになってきます。本当にご苦労さまでした。これからは自分の好きなことをするときに、光に帰った霊ちゃんたちが感謝の光を応援に送ってくれます。そのときトントン拍子の流れを楽しんでください。

ずっと結婚しないで仕事を続けてきた方々も、魂の宿題が終わって、びっくりのパートナーが見つかります。人生を一緒に歩む人がそばにいるイメージを持って、「二人で人生を楽しんでいます！」と言霊を使って日用品をペアでそろえましょう。引き寄せます～！

ずっと引きこもりを続けて来た人も、そろそろ社会に出るタイミングです。

過去のデータを棚上げして、自分が動ける時間帯、自分が行きたいところから少しずつ、あるいは大胆に、人生爆発で突破してみましょう！

もう一度、日本語を見直してみましょう。もう一度、日本を見直してみましょう。なぜ、日本を選んできたのかが見えてきます。

ここから聖なる日本語を使って、笑顔いっぱいの世界を創っていくのです。ほかの国に比べたら、日本はとても穏やかです。町もきれいです。人も優しいです。いろんないい面がたくさんあります。愛と笑いでユートピアを創りましょう！

宇宙の渦を意識して、いのちの渦を爆発させましょう。

日本よ、立ち上がれ！　日本人よ、誇りを取り戻そう！

日本語よ、あなたは聖なるパワフルな言葉です。これから世界に広がります。パワフルなカタカムナの力に乗って、日本語が世界に広がります。

日本人の私たちもそろそろ個人の魂の宿題を終えて、笑顔で楽しめるときを迎えています。遊びながら、楽しみながら、ゆるゆるで、言霊パワーを使って本当のユートピアの地球にします！　今まで人生の舞台になってくれた地球への恩返しです。

たくさんの体験をするために、たくさん生まれ変わってきました。

今回、日本人に生まれた私たちの中には、今回で地球の転生が最後の方が多いのです。

そのためにやり残しを全部片づけたいと思って、魂の宿題がたくさんありました。どの人も、この人も自分も波瀾万丈の人生を選んできました。いよいよその宿題も終わるときが来て、ともに、わくわくルンルンでユートピアの道をまっしぐらです。

愛の祈り、愛の言葉かけ、愛の手助け、笑いの提供、愛の掃除、愛の花壇、愛の畑など。今、自分にできることを、たくさんの愛を込めて、笑顔で目の前の人々に分けましょう。必ず自分にしかできないことがあります。今の場所で、今の持ち場で、ユートピアを創れます。

ユートピアという言霊を日常に入れてみましょう。きっとユートピアへの道が自然に開かれます。

人のために生きたいと思っていたことを思い出します。

動けない人は、愛の祈りがあります。話せる人は、言霊に愛と笑いを込めて、伝えましょう。

次の章は、いよいよ今回のハイライト、日本の古代から伝わる「カタカムナ」による日本語の不思議な力を解説していきます。

あなたの「言葉のチカラ」がますますパワーアップしてきますよ！

第3章

日本語の源流「カタカムナ」に秘められた宇宙のしくみ

日本語の知られざる「聖なるパワー」

私たちは日本人として生まれ、自然に日本語を話していますが、実はこの日本語がとても不思議な言語なのです。

ここだけの、大切な話をします。

日本語には、「聖なるパワー」が秘められています。

「聖なるパワー」という表現がとても素敵で、興味をそそられますね～！　この章は、私たちが日常生活でさりげなく使っている日本語の不思議を謎解きしながら、今回、なぜ日本人として生まれて、日本に住んでいるのか、そしてこれからどのような流れになって、聖なる日本語を使って私たちは何をしていくのかを解説していきたいと思います。

第1章でもふれたように、**日本語は、すべての音に母音が入っている、世界でもまれな言語です。**

日本語の「聖なるパワー」は、この母音から響いてくるものです。

人類が誕生して言葉ができ始めたときに、自然に出てきたのが母音です。母音をもとに日本語が作られたために、いろいろな現象と言葉がとても近い関係にあります。自然のあるがままの姿を、そのまま言語化しているのが日本語なのです。

日本が世界で最古の国だと、ギネスブックにも登録されています。その大本《おおもと》には、**古代日本人が使っていた「カタカムナ文字」という「聖なるパワー」にあふれている言語がありました。**丸や十字で書かれた、記号のような不思議な文字です（七七ページ参照）。

そのカタカムナ文字で記された「カタカムナ　ウタヒ」と呼ばれる文献は、日本の古代科学書として約四万五千年から一万二千年ぐらい前に書かれています。びっくりするほど、昔の文明にできた言葉です。年代に三万年もの長い間がありますが、まだ特定できないでいるからです。

今までは中国から日本に渡ってきたという説明を信じてきましたが、どうも世界で一番古い文明は、カタカムナで謎解きをすると、日本だったのです。

カタカムナ文献の内容は奥が深くて、「宇宙のしくみ」をマクロの視点でもミクロの視点でも書かれた壮大な超直感科学書です。見える世界だけを扱う現代科学と違って、カタカムナは見えない世界も含めた科学なのです。むしろ見えない世界を中心とした科学と言ってもいいかもしれません。

カタカムナで言葉のしくみをひもとくことは、根源の成り立ちから解説することになるのです。

まるで時代に逆行するかのようですが、古代の文明が今よりも優れていたことはたくさんあるのです。何度も高度な文明が盛衰を繰り返してきているからです。

カタカムナ文献を発見したのは楢崎皐月《ならさきこうげつ》（本名はさつき）という科学者です。一九四九年に、兵庫県六甲山系の金鳥山《きんちょうざん》で科学の研究として大地電気の測定をしていたときに、平十字《ひらとうじ》という猟師から「動物たちが困っているから、その測定をやめてほしい」と頼まれて、すぐにその通りにしたら、お礼にと不思議な巻物を見せてもらいました。

それは彼の父親がカタカムナ神社の神主で、御神体の巻物だというのです。その巻物に書かれた文字が渦巻き状に書かれていて、神代文字の八鏡文字《はっきょうもじ》に似ていたので、頼み込んで巻物を二〇日間借りて、急いで書き写したのが、カタカムナの存在が世に知られるきっかけになりました。

天皇家中心の天孫族と戦って負けたアシア族の頭領、トゥアンが書いたという説もあります。アシア＝蘆屋＝芦屋　と、今はセレブの町となっている関西の芦屋市も、実はカタカムナ文明の部族の名前を残しているのかもしれません。

福岡遠賀《おんが》郡にも芦屋町という場所があるそうです。

Ａｓｉａと書くアジアも、同じくアシア族を表現しているのでしょう。

これからアジアがパワーアップしてきます。なおさらカタカムナの働きも大きくなります。


謎めいた古代史は、わくわくしてきます。

カタカナの原形になっている、カタカムナ文字に私が興味をもったのは、二十年前です。「カタカムナを学びなさい」という内なる声に導かれて、カタカムナをまとめた「相似象《そうじしょう》」という本を読み始めました。当時はかなり難しく感じて読み込むのに難航していたのをよく覚えています。今読んでみると、するする読めるので、きっと二十年間のさまざまな体験が理解度を増したのだと思います。

一音一音の〝思念〟を読むと、わかること

二〇一四年に入って一月二十二日に大阪高槻市から吉野信子さんというカタカムナの研究者が沖縄にいらして、素晴らしいカタカムナ・セミナーをしてくださいました。

久しぶりのカタカムナとの再会でした。

吉野信子さんは、元ＪＡＬのキャビン・アテンダントで世界を回ったグローバルな視点を持っている方です。結婚して主婦になってから、英語の通訳や翻訳の仕事を始めました。

それからカタカムナに出会い、「カタカムナ　ウタヒ」にとても深い意味があると直感で感じて、「相似象会誌」などを読みながら、カタカムナを研究されてきました。

英語を日本語に訳すように、古代語のカタカムナを現代語に訳そうとチャレンジされたのです。日本語を集めて、共通概念を探して解読するという気の長いプロセスを選びました。

その流れで、二年半で「カタカムナ48声音の思念（言霊）表」ができました。

これによって、日本語だけでなく、すべての言語の深い意味がわかるようになったのです。

日本語の源流・カタカムナに秘められた言葉のパワー

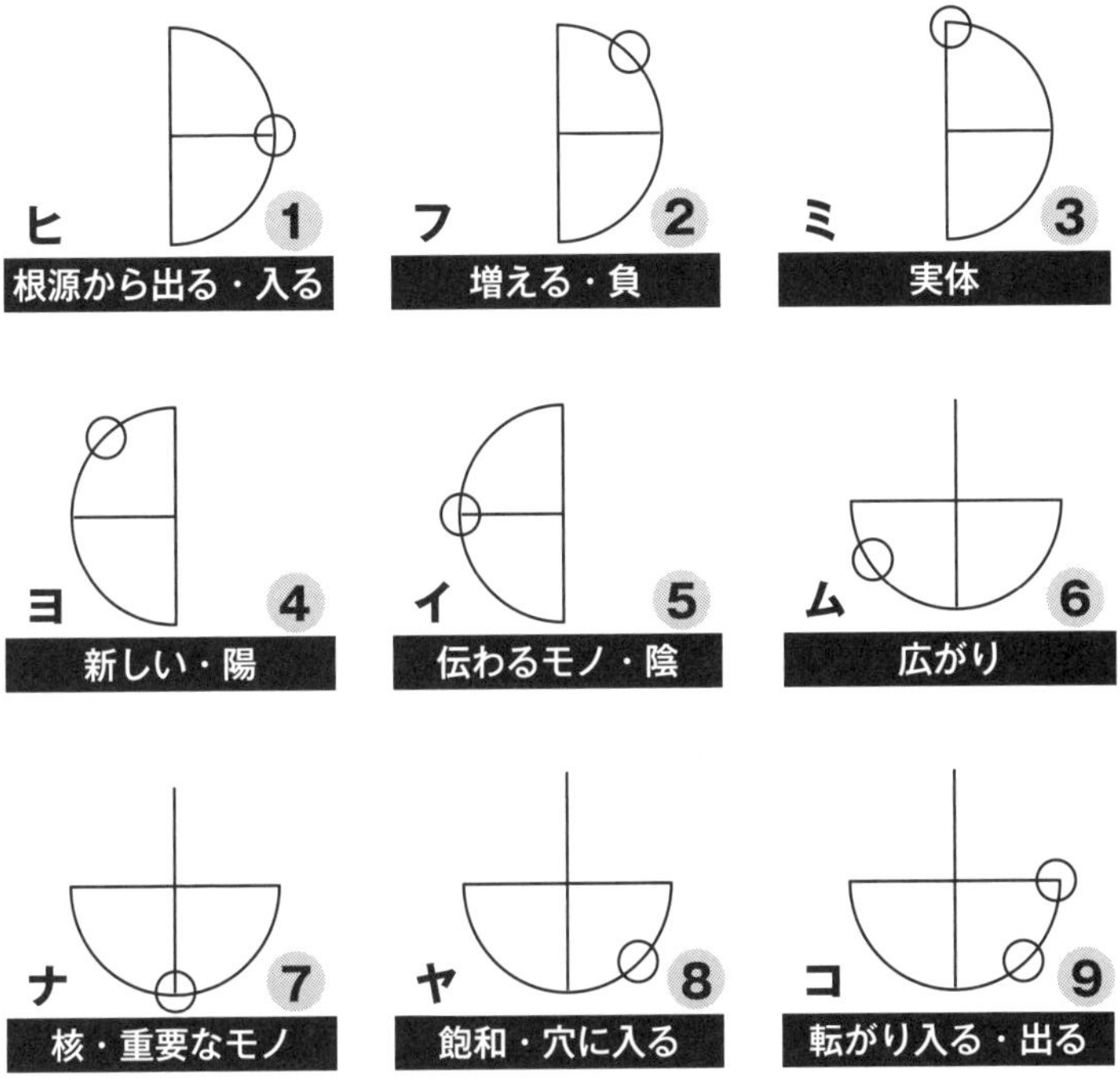

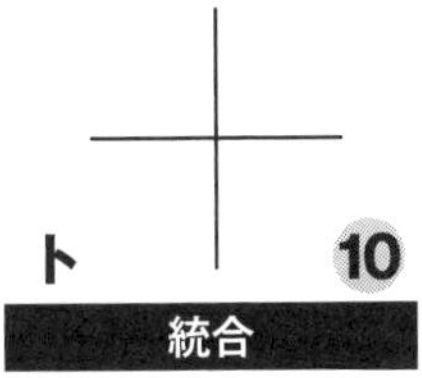

＊カタカナの起源といわれるカタカムナ文字には、ひとつひとつの音に思念（言葉が持つ見えないチカラ）が込められています。
(48音すべての思念は80～81ページの表で紹介しました)。

＊この思念をひとつひとつの音に当てはめて読み解くと、その言葉がもつ本質的な意味やパワーがわかります。

＊1～10の数字は、1次元～10次元を表しています。

二年前に言霊についての本を書いてほしいと依頼があって、書き始めましたが、パタッと手が止まってしまいました。まだベストタイミングではなかったのです。

何かを待っている気がしました。とても大切な三つのことを待っていました。それは、「カタカムナ」と「倭姫《やまとひめ》さま」と「おとひめカード」です。

最初に、カタカムナとの再会がありました。

宇宙の広がりと核とをすべて説明したものがカタカムナなのです。

まさに「宇宙のしくみ」を中心から謎解きしている大切な巻物だったのです。

聖書にも、宇宙の成り立ちは「はじめに言葉ありき」とあるように、言葉からスタートしています。

それでは、言葉のしくみは?

言葉は声音=音霊からスタートします。

48個の声音=音霊が基本になって、この宇宙が創られたのです。

最近ではあまり使われていない声音、ヰ(ゐ)、ヱ(ゑ)も含まれています。

それぞれ、イ、エと同じような発音をします。昔はもっとイントネーションや発音が違っていたかもしれません。奈良時代には、ヰはwi、ヱはweと発音されていたそうです。

もともとワ行ですから、wが音に加味されるのでしょう！

口をうんとすぼめて出すwは、息を吹きかける、風を起こす、空気を動かす、宇宙の始まりのような「宇宙」「動く」「生み出す」「浮く」など、素敵な音霊を感じます。音霊としては、ぜひ入れてほしいです。たとえ現代語ではあまり使わなくても、宇宙には存在している音だからです。

次のページにある「カタカムナ48声音の思念表」を見てください。それで読み解くと、ヰは「存在」、ヱは「届く」となります。もう一度、この二つの声音が注目されることで、日本語の聖なるパワーが復活してきます。

カタカムナが生まれてきた国、「日本」をカタカムナの思念で読んでみましょう！

ニホン、ニッポンと二通りの読み方があります。

ニホンは、ニ＝圧力　ホ＝引き離す　ン＝（前の音を強める）で、「圧力が集まって大きく引き離れたモノ」となります。

ニッポンは、ニ＝圧力　ツ＝集まる　ポ＝引き離す　ン＝（前の音を強める）となり、「圧力が集まってポンと大きく引き離れたモノ」となります。

ナ	タ	サ	カ	ア
核・ 重要なモノ	分かれる	遮り・差	チカラ	感じる・ 生命
ニ	チ	シ	キ	イ
圧力	凝縮	示し・ 現象・死	気・ エネルギー	伝わるモノ・ 陰
ヌ	ツ	ス	ク	ウ
突き抜く・ 突出	集まる	一方方向に 進む	引き寄る	生まれ出る
ネ	テ	セ	ケ	エ
充電・充実	発信・放射	引き受ける	放出	うつる
ノ	ト	ソ	コ	オ
時間をかける	統合	外れる	転がり入 （出）る	奥深く

これら48声音の響きが
カタ カム ナ（＝チカラが分かれたモノ（物質・生命体）と、そのチカラの広がりの核）から出ています

考案：吉野信子

カタカムナ48声音の思念表［アイウエオ順］

ワ	ラ	ヤ	マ	ハ
調和	場	飽和・ 穴に入(出)る	受容・ 需要	引き合う
ヰ	リ		ミ	ヒ
存在	離れる		実体	根源から 出(入)る
	ル	ユ	ム	フ
	留まる・ 止まる	涌き出す	広がり 見えなくなる	増える・ 負
ヱ	レ		メ	ヘ
届く	消失		指向・ 思考・芽	縁・外側
ヲ	ロ	ヨ	モ	ホ
奥に出現	空間	新しい・ 陽	漂う	引き離す
ン				
掛る音の 意味を強める				

ニホンよりニッポンのほうが、よりチカラが集まってポンと飛び散るような感じがします。オリンピックのときの応援の掛け声で「ニッポン」を使う意味がわかります。

この本は、沖縄で書いています。沖縄をカタカムナの思念で読むと、オキナワは、オ＝奥深い　キ＝気・エネルギー　ナ＝核・大事なもの　ワ＝調和　となって、沖縄＝「奥深いエネルギーの核が調和しているところ」と素晴らしい意味が浮かび上がってきました。言霊の本を書くには、ぴったりの場所だと改めて思います。

次に自分の名前も、カタカムナの思念で読んでみましょう！

私の名前でまず解説してみましょう。

オチケイコは、オ＝奥深い　チ＝凝縮した　ケ＝放出する　イ＝伝わるモノ・陰　コ＝転がり入・出る　となり、全体のエネルギーは、「奥深い凝縮から放出されて伝わるモノが（向こうに）転がり入る」となります。

わかりやすく解説すると、「奥深くに凝縮した智慧を外に出して、社会に伝え、それが相手に伝わっていく」＝人生のしくみを解説した本をどんどん社会に出すという意味になります。

「人生のしくみ」を謎解きして、それをわかりやすく解説して本に書くことが私の仕事なので、それをまさに自分の名前が表現しているように思います。

ぜひ皆さんも、この思念表を参考に、自分の名前が持つエネルギーを読み取ってみましょう!

カタカムナ48声音の思念表から一字ずつ訳してみてください。

名前の音が持つエネルギーを読み解くと、魂としての働き、使命がわかってきます。より自分の人生を理解して、これからの生き方に大きなヒントになることでしょう。

ついでに家族やお友達の名前も謎解きしてみましょう!

とくに女性は結婚によって姓が変わりますので、どんなエネルギーの家系に入ったのかを感じることができます。

さらに離婚のときに、どちらの姓のほうがいいかを読み取るのにも使えます。

「啓子メンタルクリニック」もカタカムナの思念読みをしてみました。

思念を合わせてみると、「啓子メンタルクリニック」は、「放出して伝わるモノが、(相手に)転がり入ることを強く指向し、(相手に)分かれて留まる」となり、もっとわかりやすくすると、「人生のしくみについての本がいろんな人に伝わって、たくさんの思いに分かれていたのが自然に集まって統合される」という意味になります。

実際に本を読んでくださった人たちが、いろんな思いで悩んでいたのが、自然に集まって謎解きをして、すっきり笑顔で帰っていかれます。

人生をどのように思うかで、悩みが消えていくのです。思い方を伝授することが私の使命だと思います。

最初のカタカムナのセミナーで、この思念表に基づいて、**童謡の「かごめかごめ」の意味が「生命誕生」、ひいては「宇宙の誕生」「物質の誕生」の意味も含んでいる**ことがわかって、深く感動しました。

日本の古代文明のカタカムナで謎解きをすると、なぜ「かごめかごめ」が子どもたちの歌と踊りで伝えられてきたかがもっとよくわかります。

かごめかごめ、かごの中の鳥は、いついつ出やる
夜明けの晩に　鶴と亀がすべった　後ろの正面だあれ

これをカタカムナの思念読みでひもとくと、言葉のもつエネルギーがさらにはっきりとしてきます。

かごめ＝チカラが転がり入って、芽を出すもの＝「受精卵」のことです。

かごの中の鳥は＝チカラが転がり入って時間が経ち、核のチカラが時間をかけて統合したものが、離れようと引き合っている＝「胎児」を表現しています。その胎児が新しい自分、新しい地球を示唆しているかもしれません。

いのちの誕生の歌を、ずっとわらべ歌として日本で歌い継がれてきたことが、とても深い意味を持って、心に響いてきます。

「かごめかごめ」は、とてもスピリチュアルな大切な歌であり、これからも日本人の私たちにとって、宝になる言霊の歌なのです。

また、日本の国歌である**「君が代」も地球の平和を祈る歌だった**ことがカタカムナの思念表から謎解きできて、さらに深く感動しました。

国歌以上の働きが秘められていたのです。ぜひ世界にも広めたいと本当の意味を知って、嬉しくなりました。

君が代は、千代に八千代にさざれ石のいわおとなりて
こけのむすまで

これをカタカムナの思念読みをすると、イザナギ（イ素粒子＝物質・生命の素）とイザナミ（イ素粒子から出るエネルギー波動）が大きく引き合うことにより、地球が創られ、地球の核ができ、地球のまわりに見えない大気圏と電磁場圏ができて、地球を守る盾となり、自転公転しながら（月日を重ね）、地球に生命を育んでいる様子が述べられています。宇宙的ですね！

「地球は、人類、生物、万物の『君が代＝あなたの世』が、いついつまでも平和であるようにと、イザナギとイザナミが力を引き合うことにより、年月をかけて成った天体です」という意味が伝わってきます。

実は地球の平和を祈る歌だったのです。

国歌「君が代」が自国のためだけでなく、地球の平和を祈る歌というのは、日本だけで

はないでしょうか？　改めて「君が代」の持つ深い意味が心に響いてきます。

吉野さんも、日本人選手がパラリンピックで金メダルを取って「君が代」が歌われたときに、その響きに感動したいろんな国の人々が駆け寄ってきて、「今の国歌はどんな意味を歌っているのか、とても心に響いてきた、感動した」と言われたそうです。歌詞の意味がわからなくても歌の持つ雰囲気や響きで素晴らしさが伝わったのだと感じたと言います。日本の国歌の「君が代」の本当の意味がわかると、日本人として誇らしく思えてきます。

ちょうど今、日本が誇りを取り戻すときを迎えているのです。

「君が代」は、地球の平和を祈る歌なので、すべての国が一緒に歌えるようになりたいです。これから自然にそうなっていくかもしれません。わくわく！

日本を金メダルに導いたカタカムナの実践法

さらに感動したのが、カタカムナの思念読みを活用して、ロンドンのパラリンピックで目が見えない選手たちの球技、日本女子ゴールボールチームが強敵中国を1対0で破り、見事に金メダルを獲得したという話でした。

吉野先生は、本当にカタカムナが実用的に役に立つのかを実証したかったのだそうです。予想以上に効果的だという立証ができました。パラリンピックで金メダルを取ったのですから、これほどの実証はありません。あっぱれだと思います。

金メダルという大きな結果だけでなく、それに至るプロセスでも、びっくりな展開でした。まず、チームワークをよくするために、「勝つとは自分に勝つ事」など、それぞれが元気になる言葉を持ち寄って、覚えやすいように「あかさたな」に並べてみました。

それを声に出して、チームのみんなで唱えるようになると、言霊の力で元気になってきました。さらにカタカムナの理論から、「未来から今がやってくる、過去は単なるデータにすぎない」ということをしっかりと理解するように、吉野先生が導いたのです。

不思議なことが起こりました。見えないはずのボールが目の前に見えるようになってきたのです。大きなアイマスクをかけていますから、もちろん肉眼の目では見えないのですが、おでこの真ん中にある第三の目＝心の目が開いて、しっかりと見えるようになったのです。

そのおかげで、中国が投げる球をすべてガードできるようになり、さらに隙を見つけて貴重な一点のシュートを決めることができました。誰も期待しなかった日本の勝利にびっくりさせられたのです。

シンプルにどんなボールもセーブできて、一点でもシュートできれば、勝てるのです。初めてとった金メダルは、関係者に衝撃を与えました！

もっと不思議なことがわかりました。**「あかさたな」に並べて唱えていたみんなで作った言葉をカタカムナで思念読みした通りに試合の流れが展開していったのです。**少し紹介します。

「ありがとう！」＝感じるバラバラに離れたチカラの統合（チームワーム）が生まれ出る

「勝つとは自分に勝つ事」＝皆のチカラが集まって統合され、お互いに引き合い、チカラが集まり転がり入って統合する

「さあ、上を向いて、階段を一歩一歩昇り、」＝相手のディフェンス力を感じて、その隙間を狙い、生まれ出た投球が、相手コートのゴールに入る。選手は自分の力を投球に込めて、相手コートの奥深いゴールへと、伝わる思いを集めては引き離し、試合時間は経過し、引き離れたゴールへとボールを離す。

言霊がエネルギーの流れを表していることが実証されました。

チーム全員で唱えた言葉は、スローガンをとしてただみんなの気持ちを盛り上げるだけでなく、思いの通りに試合も展開される言霊パワーがあったのです。

カタカムナ・セミナーで吉野先生の体験談を聞きながら、魂が喜びで躍動しました。これはすごいと心の底から思えたのです。

カタカムナは言霊のエネルギー理論です。

言葉のもつ不思議なパワーをひもとくためには、カタカムナ理論が必要でした。それとともに、カタカムナもこうやって本で紹介されて、たくさんの人々に認知され、蘇ること

ができるのです。

カタカムナ文字は、丸と十字から成っていて、それが渦巻き状に右回りに書かれています。一つの渦で、一つの宇宙のしくみが説かれています。

六甲山にあるカタカムナの神社、保久良《ほくら》神社に行くと、巨石が渦巻き状に並んでいて、まさにカタカムナ文字にそっくりです。しかも奥にある梅林のところに不思議な十字形の木があって、カタカムナの文字に使われる十字形を象徴しているかのようです。

かなり急な坂を歩いて上ると、絶景が見渡せるところに鳥居がありました。

鳥居もカタカムナで思念を読み取ると、「統合したものが離れることを伝えるもの＝出口」となります。

トリイはヘブライ語で「門」という意味もあります。

日本語とヘブライ語の意味がとても近いとされています。同じ意味の言葉が五〇〇個もあるそうです。きっとカタカムナの流れを直接的に引いているのでしょう！　言葉から民族のルーツもわかってくるかもしれません。わくわく！

念願のカタカムナ神社にお参りできて、とても感動しました。「ぜひ、カタカムナが世に出るためのお手伝いをさせてください」としっかり祈りました。

そのまま左手の大きな巨石があるところへと導かれて、そこで最高にパワーがあるところに立ちました。巨石が渦を巻いて置かれていることが不思議ですが、カタカムナを知っていると、なるほどカタカムナの文字を表しているのだと腑に落ちます。

ピンときたら保久良神社に行ってみてください。きっと魂が深いところで反応して、魂の歴史がひもとかれ、心地よい刺激となって魂の目覚めを促してくれるはずです。

これから東経135度、明石、淡路、神戸を中心とした新しい文明が起きてきます。そのための自分の使命がはっきりしてくるでしょう。

カタカムナに触れることで、魂の深いところが動きだすのです。

自然に宇宙の渦とつながって、宇宙の一部である身体も動き出します。魂も発動開始します。今がまさに動くときです。

新発見！「悪い言葉」の思念は悪じゃない!?

ふだん使っている「いい言葉」（「ありがとう」とか）、あるいは「悪い言葉」（「ダメ」「つまらない」とか）を思念表に沿ってカタカムナで読み解いてみましょう。

よく言霊として、いい言葉でいいことが起き、悪い言葉で悪いことを引き寄せるなどと言いますが、本当にマイナス言葉はカタカムナで思念読みすると、エネルギーもマイナスなのかを試してみました。

病気（ビョウキ）＝根源へと入る新しく生まれ出るエネルギー
不幸（フコウ）＝増えて転がり入るモノが生まれ出るモノ
悲劇（ヒゲキ）＝根源から放出するエネルギー
悲惨（ヒサン）＝根源から出る、大きな、遮り
悪（アク）＝感じて引き寄せるモノ
ダメ＝分かれるコトを指向する……それは「ダメ！」

つまらない＝集まる受容の場の核が伝えるモノなど、どれを見てもエネルギーの流れを表現していて、マイナス的な悪いものはありません。**思念に善悪の別はないのです。**

宇宙に善悪はない――私たちが現象をどう捉えるかで善悪を生み出しているのです。

これは目からウロコです。

マイナスを思う心はあっても、宇宙にマイナスの言葉はないのです。

思いがどうなのかが問題なので、言葉自体の思念には善悪の別がないのです。

もう一つ、**同じ音の言葉は、共通の思念をもっている**のです。

同じ音の言葉は、つまり、同音異義語は、必ず共通した思念を持っています。

人との縁のエンは、「たくさんうつる（映る、移る、写る）」という意味があり、円、宴、園、塩、延、艶、炎、苑、遠、援、沿といろんなエンがあります。それぞれの意味が違っても、エネルギーとしての働きが同じなのかもしれません。

ハシという音は、カタカムナの思念では、ハ（引き合う）シ（示す）です。

同音異義語は、箸、橋、端、嘴、梯などがあり、それぞれ二本が引き合って示しています。

ハタという音は、思念読みで「引き合って分かれる」ですが、これも、旗、畑、畠、傍、秦、幡、機などがあります。代表的な旗は、パタパタとハタめく「引き合って分かれる」状況です。パタパタという擬音語もハタと同じ意味で、パタと破裂音になると「勢いのある飛び抜けた状態」や「瞬間的な力」を示します。

言葉は振動なので、同じ音は同じ振動数を持っていて、必ず同じ思念を表すのです。

これから日常生活で同じ音の言葉をちょっと意識してみましょう！

日本語ならではの言葉遊びができます。楽しいギャグができます。

そこから日本語の、そしてカタカムナの深遠な意味ができるかもしれません。

カタカムナの教えが示す、宇宙の原理原則とは

「カタカムナ文献」と呼ばれるカタカムナ文字でつづられた八十首の歌には、「宇宙の構造」「宇宙の創成」「宇宙のしくみ」「物質のしくみ」「生命のしくみ」「農業の方法」「病気治療法」などが書かれています。

それでは「カタカムナ文献」の一部を解説していきましょう。

中心から右回りにうず巻き状にカタカムナ文字が並んでいます（一〇八ページ参照）。

右回りにも意味があります。

宇宙では、右回りでパワーが入っていきます。

ネジをはめるときも右回りではまります。時計の針も右回りです。

ネイティブアメリカンのスネークダンスも右回りでパワーアップします。

左回りは解放なのです。左回りでネジがゆるみます。天の舞の庭にも一人でも歩きながら解放とパワーアップができる「ハッピースパイラル」を創って好評です。

カタカムナが表す宇宙のしくみ

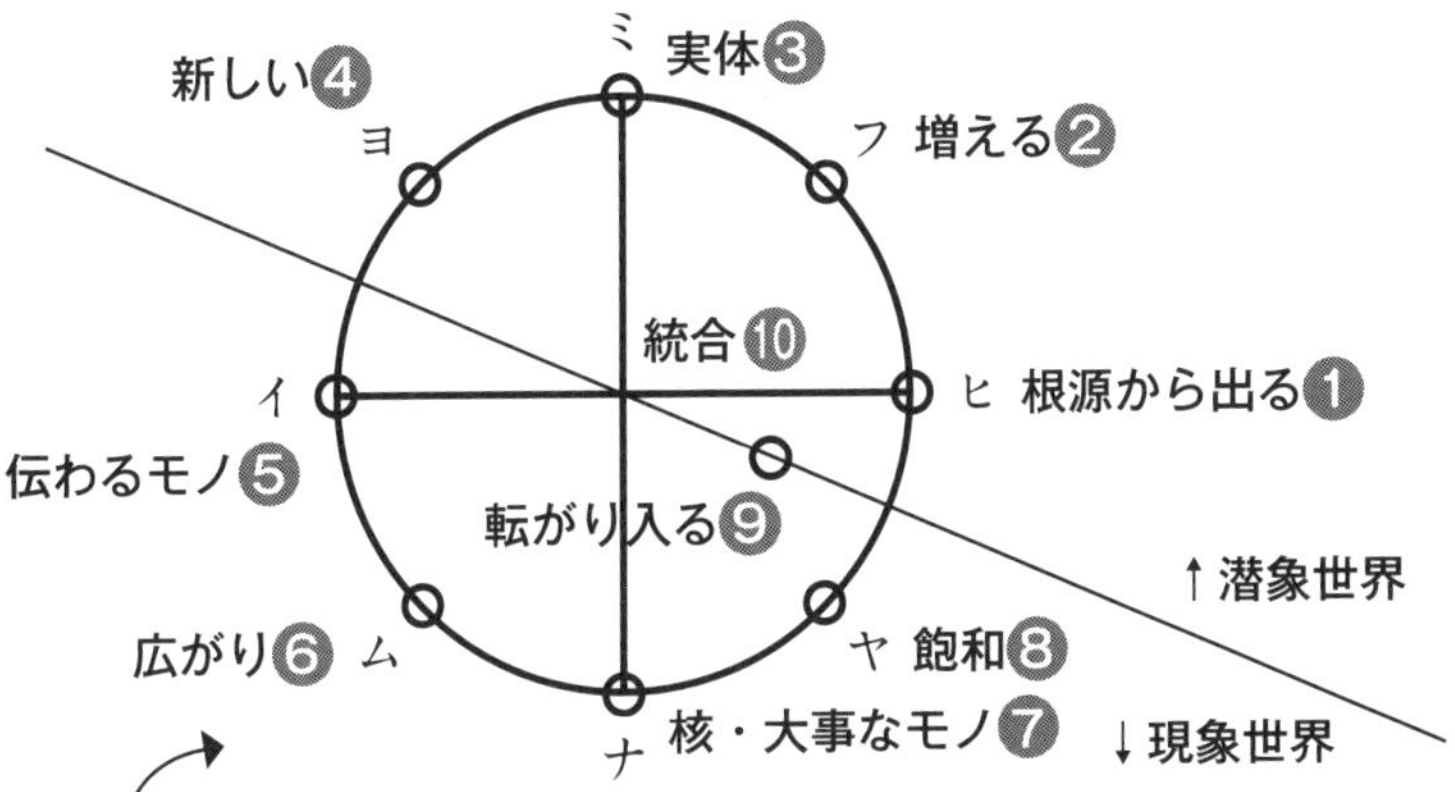

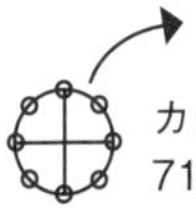

カタカムナ文字がうず巻き状でつづられた80首の歌のうち、71首の中心にこの図（ヤタノカガミ）があります。

カタカムナ文字が右回りで書かれているのは、言霊がこの世に現象化していく力を示しているのです。

カタカムナ文字はうず巻き状に書かれているとお伝えしましたが、うず巻きの中心にはの図があります。それぞれヤタノカガミ、フトマニ、ミクマリの三つです。これらは、まさに神道の三種の神器《じんぎ》、八咫《やた》の鏡、草薙《くさなぎ》の剣、勾玉《まがたま》と見事に重なります。

実は、日本の「三種の神器」は宇宙の法則を具象化しています。

勾玉《まがたま》（陰陽）……超ヒモ、量子、原子などの相似形として「陰陽原理」を具象化したモノ

八咫鏡《やたのかがみ》……宇宙の生命存在の本源である「ブラックホール」を具象化したモノ
草薙剣《くさなぎのつるぎ》……八咫鏡の核（カタカムナ）からの粒子とエネルギーの放出を具象化したモノ
宇宙のしくみを表現するカタカムナにも、象徴的な三種の神器がちゃんと組み込まれていたのです。最初の構造からわくわくしてきます。

一番多く登場する八咫の鏡（ヤタノカガミ）の構造が九七ページの図のように潜象世界と現象世界、つまり見えない世界と見える世界を表現しています。

その境目がきっちり上下ではなく、三〇度に少し傾いているところがまた面白いです。時計で表現すると、十時の方向と四時の方向が境になって、上が潜象世界、下が現象世界です。

丸十字を八等分して、そこに小さな丸があります。それが宇宙の十次元構造を表しています。三時の方向からヒフミヨイムナヤと左回りに回っています。

ヒフミと数えるように、ヒフミからカタカムナも始まっているのです。

ヒフミ数え歌もここからきています。

「ヒフミヨイムナヤコト」が「12345678910」を表しています。

一次元のヒの思念は「根源から出る（入る）」です。見えない世界＝潜象界の一次元です。

二次元のフの思念は「増える・負」です。

カタカムナでは、陽が意識、陰が肉体です。

三次元のミの思念は「実体」です。

四次元のヨの思念は「新しい・陽」です。

五次元のイの思念は、「伝わるモノ・陰」です。

六次元のムの思念は、「広がり・見えなくなる」です。まわりのすべてに光が広がると、光は見えなくなります。光そのものが空間となるからです。代わりに物質が見えてきます（中にいると見えない光も、外の宇宙から見ると美しく輝いています）。ムの言葉は、無、夢、武、務、矛、霧など、無と霧はまさに「見えなくなる」です。夢は広がりを感じます。

七次元のナの思念は、「核・重要なモノ」です。ナは、菜、名、奈、那、茄、納、南などです。野菜の菜、名前の名、奈良の奈、那覇の那、茄子の茄、納豆の納、南の島の南、などすべて私には大好きで重要なモノです。ちょっと個人的になってしまいました。

ラッキーセブンの七は、誰もがラッキーな気分になって大好きです。ラッキーセブンには、とても深い意味が隠されています。

古代文明のアトランティスやムーは高い文明がありながら、最後は海底に沈んでしまいました。それが六回目の文明になります。六回目のムーの時代から七回目の今回の時代で完成になります。今、完成に向かっているのです。いよいよ今回で地上天国になるのです。平和な部族ホピ族に伝わる予言の岩にも七回目が今で、平和が成就するとあります。ムーの人々が今日本にたくさん生まれ変わっています。みんなムーの民、ムーミンです！　今度こそユートピアが完成するのです。わくわく！

八次元のヤの思念は、「飽和・穴に入（出）る」です。実は光を消費した「闇（8と3）の世界」です。まさにブラックホールに転がり入る（9）前の飽和状態（大気圏外＝闇）なのです。

ヤは、矢、屋、家、夜、野、耶、哉、谷、也、爺、弥、椰、八などです。

八咫の鏡の八です。古事記には、たくさんの八が出てきます。八十神《やそがみ》、八十万《やそよろず》、八上比売《たがみひめ》、八咫鏡、八咫勾玉、八岐大蛇《やまたのおろち》などです。大事な働きをするものには八がついています。菊の御紋が十六花弁なのも、八八、八が陰陽そろっている意味です。三種の神器にも八がつきます。

九次元のコは、０に戻ります。ヒのところに重なるようでいて、ないのです。カタカムナでは9＝0です。宇宙は9でできています。

九次元のコの思念は、「転がり入・出る」です。コは、子、個、故、湖、弧、小、鼓、粉、児、仔、庫、戸、孤、古、固、壺、箇、呼、瑚、胡、黄、去、拠、虚、誇、姑、己、枯などたくさんあります。

最後の十次元は、トです。十字の中心にあります。

十次元のトの思念は、ずばり「統合」です。「統合」の十（10→1＋0＝1）で新たな一次元の始まりです。次元的には10＝1です。私たちは十月十日《とつきとおか》たち、胎児が成熟して生まれてきました。岩戸に隠れた私たちが目覚めるときが今です。平成とは、平を分解して「一八十成る」でイワト成る＝岩戸なる＝岩戸に隠れていた天照御大神《あまてらすおおみかみ》が表に出るときだそうです。面白いです。

しかもカタカムナで謎解きすると、天照大御神は私たち自身だそうです。びっくり！だから神社の御神体は鏡で、「自分を映しなさい、自分の中に神がいます」という意味なのです。納得です。

ついでに解説すると、神社の鈴を鳴らすのは、「雷を起こす」という意味になります。カタカムナでは、しめ縄は積乱雲で、白い和紙は稲光、鈴を鳴らして雷を起こし、電子を浴びて元気になるのだそうです。雷（カミナリ）＝神成り　つまり神社は、「自分の中の光に気づいて神に成るところ」だったのです。これにもびっくり！　そういえば浅草の浅草寺《せんそうじ》は雷門と雷おこしで有名です。

いろんな意味がわかってくると、それだけでわくわくしてきます。統合の時代にカタカムナがひもとかれます。今がそのときです。

トは、戸、徒、都、途、堵、杜、賭、斗、屠、吐、砥、土、止、十、兎、塗、渡、登、頭、度、図など、かなりあります。

この世の次元と違うのは、カタカムナの宇宙観が見えない世界（潜象界）も入れているので、見えている世界（現象界）の1次元から4次元までが五～八次元になっているのです。宇宙の見えない世界を実（陽）ととらえているためにこの世が虚（陰）と考えています。

以上をまとめて書くと、次のようになります。

〈ヒフミヨイムナヤコトの10次元〉
ヒ……一次元（潜象界の1次元）ヒモ・弦
フ……二次元（潜象界の2次元）膜・ブレーン
ミ……三次元（潜象界の3次元）実体

ヨ……四次元（潜象界の4次元）トキ・エネルギーの充電
イ……五次元（現象界の1次元）線
ム……六次元（現象界の2次元）面
ナ……七次元（現象界の3次元）立体
ヤ……八次元（現象界の4次元）トキの消費
コ……九次元（潜象界の核へと転がり入る次元）ブラックホール
ト……十次元（潜象界の核で統合される次元）放出
ここで八咫鏡が中心にある「カタカムナウタヒ」第四首を読み解いてみましょう。

イハトハニ　カミナリテ　カタカムナ　ヨソヤコト　ホグシウタ

「イ」は、永久に統合しては、分かれて引き合うチカラの実体（カミであり、神であり、すべての上）なので、カタカムナの48声音が転がり入って統合するコトの次第（オソヤコト）を、一つずつほぐして詠います（ホグシウタ）。
まさに、統合の時代をカタカムナの48声音が読み解いていくと書かれています。

世界観が変わる「陰陽」のヒント

この世では、見えない世界が「虚」で、見える世界が「実」ですが、カタカムナでは陰陽が逆になります。見えない世界が本質で実（陽）、見える世界が虚（陰）なのです。

言霊学に熱心だった出口王仁三郎《でぐちおにさぶろう》さんも、見えない世界が見える世界に映し出されてくることを説いていました。第5章の最強の言葉集の中の「エクスタシーチェンジ」は、王仁さんの発想からヒントをもらいました。

生命エネルギーが空間に存在していて、肉体という六〇兆以上の細胞に宿ります。肉体はかたまりのように見えるけれど、実は空間だらけです。

肉体の空間はスカスカですが、外の宇宙空間はいろんなものがびっしりと詰まっていて、充実した空間なのです。だから見えない世界に実体があって、肉体のほうがスカスカで虚無の世界なのです。

ここで今までの世界観が大きく変わるかもしれません。この世を中心に見るのか、あの世、もっと大きく宇宙から世界を見るのか、視点が変わると陰と陽が逆転するのです。ものの見方が変われば、世界が一変します。悩みもスッと消えます。世界観を変えるヒントをカタカムナからもらいましょう！

勾玉《マガタマ》の形は陰陽の一つで、球体にすると、絶対に離れないトーラス（ドーナツ型）になります。素粒子から細胞から地球から銀河まで、宇宙はこの形の相似形をしていて、相似象という宇宙のしくみが見えてきます。

それで、カタカムナは相似象学会としてスタートし、相似象学会誌として「相似象」が書き綴られてきました。

吉野信子さんは陰陽を立体的に表すために、テニスボールのような大きさの球を発泡スチロールで作って、それを白と黒の二色で、勾玉が立体的にしっかりとかみ（神）合って離れない関係になっている模型を見せてくれました（一〇七ページ参照）。

まるで男女のように、お互いが補い合って丸くなっています。お互いが存在することで己が成り立つ。まるで「合わせ鏡」のようです。それが美しい曲線の勾玉となって、立体白黒ボールになります。男女が心身ともにぴったりと合体したら調和の球体になれるのです。

夫婦もお互いにないものを感じあって、補い合って一つになります。

勾玉は、「龍宮神ジュゴン」の象徴だという楽しい説が沖縄にあります。海勢頭豊《うみせどゆたか》著『卑弥呼《ひみこ》コード　龍宮神黙示録』（藤原書店）という面白い本を見つけました。卑弥呼が沖縄から生まれ、久高島で修行して、大和を平定しに渡ったというびっくりの説です。ジュゴンが大好きなので、嬉しくなりました。

天皇家に代々伝わる三種の神器の一つの「八尺瓊勾玉《やさかにのまがたま》」がありますが、文字の通りに解釈すると八尺＝二メートル四二センチもある勾玉ということになります。沖縄の辺野古《へのこ》のジュゴンは三メートルくらいありますから、ちょうどぴったりです。

ジュゴンを思念読みしてみると、ジ＝示し・現象　ユ＝湧き出す　ゴ＝転がり入（出）る　ン＝たくさん　なので、まとめると「示しが湧き出してたくさん転がり入れられる」となります。

他《ほか》にも勾玉は「三日月説」や「胎児説」もありますが、ジュゴン説が龍宮神というロマンティックで、神聖で、かつ現実的な感じがしてぴったりときます。

辺野古の問題は、単に基地問題だけではありません。大切な龍宮神を守れるかどうかということ、とても根源的な問題なのです。沖縄だけでなく、古くから神々を大切にしてきた日

カタカムナが教える陰陽の構造

陰陽球体

黒と白の勾玉が合わさった陰陽の図（「太極図」）を球体と考えると、
宇宙の「陰陽」の構造はテニスボールの形になる

本として、ぜひ守りたいものです。ジュゴンと沖縄と日本のために祈ります。ジュゴン、チュッ、チュッ、チュッ！　日本の素晴らしい勾玉のジュゴンを守りましょう。

言霊の解説が、なぜかジュゴンの話になりました。やはり沖縄で書いているので沖縄のパワーが入ってきますね！

勾玉も大切な三種の神器の一つですが、カタカムナ文献の八十首の中で、うず巻きの中心に勾玉の◯の形の図（ミクマリ図象）が入っている数は、二首あります。図のように、第一首と第十五首です。

同じく三種の神器の**草薙《くさなぎ》の剣《つるぎ》は、実は平**

第一首の歌（「相似象」第十号より）

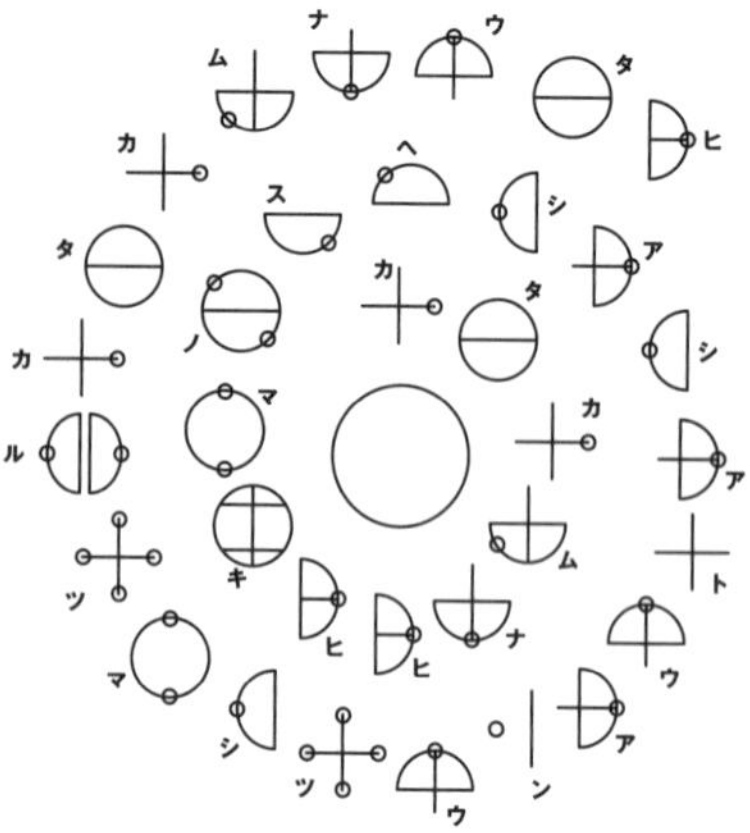

カタカムナ文字はうず巻き状に記されており、中央から右回りに「カタカムナ　ヒヒキ　マノスヘシ……」と読む。第一首の中心にある円形の図を「ミクマリ図象」という。

和の象徴です。縦にして真上から見ると、

（フトマニ図象）

と見えます。カタカムナ文献の八十首の中で、真ん中がフトマニ図象は七個あります。

ツルギを思念では、ツ＝集める　ル＝留《とど》める　ギ＝エネルギーが出される　となります。「私たちのエネルギーを集めて留めたエネルギーが出るトコロ」という意味になるのです。

剣は戦いの象徴かと思っていたら、逆に平和の象徴だったのです。不動明王《ふどうみょうおう》さまも煩悩《ぼんのう》を断ち切る剣をお持ちです。大天使ミカエルも持っていますね！

「カタカムナ文献」を音として感じてみる

カタカムナ文献を全部は紹介できませんが、音としてぜひ感じてほしいので、いくつかを抜粋しました。ぜひ、声に出して読んでみてください。

意味はわからなくても、音で響いてきます。もしかしたら、魂が思い出すかもしれません。アジア族の過去生があるかもしれません。気になるのがあったら何回も唱えてみてください。何となく意味がわかってくるかもしれません。

レッツ、チャレンジ、カタカムナの謎解き！

第一首　カタカムナ　ヒヒキ　マノスヘシ　アシアトウアン　ウツシマツル
　　　　カタカムナ　ウタヒ

第二首　ヤタノ　カカミ　カタカムナ　カミ

第三首　フトタマノミ　ミコト　フトマニニ

第四首　イハトハニ　カミナリテ　ヨソヤコト　ホグシウヌ

第五首　ヒフミヨイ　マワリテメクル　ムナヤコト　アウノスヘシレ　カタチサ

第六首　ソラニモロケセ　エヱヌオヲ　ハエツヰネホン　カタカムナ

第七首　マカタマノ　アマノミナカヌシ　タカミムスヒ　カムミムスヒ
ミスマルノタマ

第八首　ウマシタカカム　アシカビヒコ　トコロチマタノ　トキオカシ

第十首　メグル　マノ　ミナカヌシ　タカミムスビ　カムミムスビ　オノコロシマ
カムナホグ　アメツチ　ネハシマリ

第十二首　シヒ　ハタ　シヒ　フミ　カムミ　アキ　タマ　ト　アウ　カムミ
カタカムナ　ノ　ミソデ　ホト　アオ　ココロ　アカ　クスベ　アカ
ミコト　ハナ　クスベ　コトミチ　トヨクスベミチ　ウタシメシ

第二一首　イマ　トハ　ヒトワ　ミコ　ニホ　ヤホ　アマツ　クニ　コト　ミチ
カタカムナ　ナミ　マリ　メグル　オホトコロ　イモマクカラミ
ヌフトヤマト

いかがですか？　第七首に「アマノミナカヌシ」と神さまの名前が出てきます。古事記の「オノコロシマ」も出てきます。「ミコト」「ハタ」などなじみの言葉もあります。本当に不思議な古代語です。

音で感じると魂に響いて、自分の中の宇宙が動き出します。

きっと、あなたの魂にも音霊が響いてきたことでしょう。

あなたの魂の中に、カタカムナ人だった記憶が残っています。今、それを呼び起こすときです。だから、この本を読んでいます。

響きを感じてみてください。懐かしさに包まれたら、きっと縁を思い出すと思います。

私は絵に目覚めたので、カタカムナ文献の音霊からイメージを引き出して絵に描いてみたいと思います。絵から宇宙のしくみをひもといていくのです。

カタカムナは奥が深いです。それぞれの関わり方で感じてみましょう！

倭姫さまが教えてくれた大切なメッセージ

カタカムナに再会したあと、さらにもう一つの大きな流れが並行して始まりました。それが「倭姫《やまとひめ》さま」との再会（出会い？）です。

二〇一三年の伊勢《いせ》と出雲《いずも》のダブル遷宮《せんぐう》のあと、二〇一四年二月の大雪前日に伊勢神宮をお参りしました。そのとき倭姫宮《やまとひめのみや》にどうしても行きたくなり、初めてお参りをしました。

お参りをしたとき、右上空から白龍に乗った倭姫さまが降りていらして、凛《りん》としたお言葉で「今日から私の手足になってください」と言われました。

とっさのことでびっくりしたのですが、「少し短めですが、よろしいでしょうか？」とちょっとおちゃめな応対をしてしまいました。

それから本当にびっくりの流れが始まりました。それが翌朝の大雪です。雪があまり降らないところなのに、大雪になり、すべてが閉ざされて、足止めになりました。伊勢神宮もとうとう午前十時半で閉鎖になりました。

「たくさんの人々が遷宮後にいらしたので、ここで浄化とリセットをします。大雪は大浄化です。あなたもここで静養しながら私の波動に慣れてください」

と、倭姫さまからのメッセージがありました。

倭姫さまとは、日本に実在した方で垂仁《すいにん》天皇の第四皇女です。伊勢神宮の内宮《ないぐう》をどこにするか場所選びをするために近畿地方をくまなく歩かれて、今の場所をお決めになったそうです。いわゆる伊勢神宮の内宮の母とも言うべき人でした。

倭姫さまとの交流はその後も続いて、大切な祈りを日本最西端の与那国島《よなくにじま》や広島の平和記念公園で自然の流れできちんと果たすことができて、何とか手足の役をこなしています。ちょうど仏画の千手観音《せんじゅかんのん》を描き終わったときに、「私の絵も描いてください」と倭姫さまから絵の依頼がありました。これにはびっくり！

しかも、その絵のバックにカタカムナ文字をちりばめるという斬新なアイデアが降ってきました。カタカムナ文字を書くことで、さらに親しみを感じることができました。

絵の上のほうに、倭姫さまからのメッセージをカタカムナ文字で書いてみました。倭姫さまが乗っている白龍の近くには龍文字、フトマニ文字を描きました。カタカムナだけでなく、ほかの古代文字にも触れるチャンスでした。

古代文字に囲まれた倭姫さまも、心地よさそうに、嬉しそうに見えます。ますますパワーアップした絵になりました。

東京での講演会でも披露しました。いつも講演会に来てくださる洋裁が得意な方が倭姫さまの衣装を作ってくださり、まるで絵の中から飛び出してきたかのようなパワフルで濃い講演会になりました。

倭姫さまの衣装を着て舞台に立つと、言葉がいつもよりもパワフルになって、心に、そして魂に響く言霊があふれ出てくるように感じました。

なぜ、今、倭姫さまとカタカムナのコラボなのでしょうか?

ちょうど伊勢と出雲のダブル遷宮が終わって、いよいよ神々がリセットされたときです。世の中を平和にしたいという強い思いの倭姫さまが、宇宙のしくみを説いたカタカムナや古代文字と深く共鳴するには、まさにベストタイミングなのです。かつて、倭姫さまが近畿地方を探して、伊勢神宮の内宮の場所を決められました。

いよいよ本当の居場所がカタカムナで解明されました。

実は、私たちの内側に天照大御神(アマテラスオオミカミ)が存在するのです。

アマテラスオオミカミをカタカムナで思念読みすると、ア=感じる生命の　マ=受容の

龍に乗っている倭姫さま（越智啓子・画）

ゼロ点が　テ＝発信、放射する　ラ＝場が
（渦）　ス＝一方方向に進む　オ＝奥深く
ミ＝実体の　カ＝チカラの

　まとめると、「人間一人ひとりの中にある神なる実体」という意味になります。

　アマテラスオオミカミとは、私たち人間一人ひとりの中にある神なる実体、つまり「私たちが神である」ということがカタカムナでわかったのです。

　潜在意識の曇りを取れば、禊《みそぎ》をすることで、内なる神、内なる光がきちんと外に出てくるのです。

　いよいよ自分たちの本質に目覚めて、自分の中の光を感じるときなのです。

　日本人を選んで生まれてきたのは、聖な

るパワーを持っている日本語を使って、それぞれの持ち場で平和を、言い換えればユートピアを創ることを意識して始めるからです。日本から平和の言霊が響き渡ることが必然だからです。

今、あわの歌がはやってきているのも素晴らしい流れです。

あわ（天地）の歌とは、秀真伝（ホツマツタヱ）という古い文献に載っている歌です。イザナギとイザナミが唱えた歌で、心にも身体にもいいとされています。言霊を唱えることで、内なる光があふれ出てくるからです。

一つひとつの言葉をゆっくり伸ばして唱えてみましょう！

アカハナマ　イキヒニミウク　フヌムエケ　ヘネメオコホノ
モトロソヨ　ヲテレセヱツル　スユンチリ　シヰタラサヤワ

いかがでしたか？　もしピンときたら、あわの歌を日常に取り入れるタイミングかもしれません。

地球がさらに美しく素晴らしい星になるために、さまざまな力を持った人々が統合して、自分たちにも神々と同じ光を持つ大切な存在であることを自覚するような流れになっています。

神社に祭られている神さまだけが神さまではなく、私たちの中にも光があって神があるのです。だからこそ、**神社の御神体は鏡で、「自分の中を映し出して見なさい。そこに神がおられるから」と教えてくれているのです。**

鏡で自分を映すと、鏡（カガミ）から我（ガ）を取ると神（カミ）になります。

古事記に書かれている天の岩戸開きの話も、心の中に隠れている本当の自分を開き現わす方法を鏡に映して私たちに教えてくれている物語なのです。

これから神々の時代が始まります。神に直結した時代に入るのです。私たちみんなが神々であることに気づくのです（これが本当の「神ングアウト」です！）。

自分の中にも神と同じ光、エネルギーがあるとわかると、いろんな神さまとつながりやすくなります。好きな神さまとつるむことで、言葉がパワーアップして言霊に変容します。

言霊とは、「言う＋霊」と書きます。「霊魂が言う」と解釈もできますし、「言葉に霊魂が宿る」とも解釈できます。両方と考えてもいいでしょう。

ちょうどこの本を書いているとき、二年前に診療を受けた懐かしい方が友達と天の舞のカフェに来ていました。とてもすっきりとした顔で、熱く今の活動を語ってくれました。

初診時は「自分は何のために生まれてきたのかわからなくなった」と悩んで暗くなっていましたが、そのとき、彼女の魂さんからのメッセージが「あなたは地球を救うために生まれてきたのよ」でした。

本人の表面意識はピンとこなかったようですが、この二年間でいろんな体験をするうちに実感が湧いてきて、友達のメールの「私も地球を救いたい」という文を見て、ピンとひらめきました。そして「地球を救い隊」というグループを立ち上げたそうです。

月に二回、瞑想会を開いているそうですが、とても楽しそうです。

みんなが自分にできることを無理なく自然体でできれば、それがユートピアへの道になるのです。

「おとひめカード」で音霊の力に目覚める

二〇一四年六月二一日、とてもパワフルな夏至《げし》の日に、「おとひめカード」ができました。八十八人が集まって大神《おおみわ》神社での清めの儀式で一斉におとひめカードを開いたとき、天と地がつながって大きく足元が揺れたそうです。

神々がとても喜んでいる雰囲気が伝わってきました。

親友のはせくらみゆきさんが十二年間も温めてきた構想がやっと実現してできたのが、「おとひめカード」（音の解体新書『おとひめカード』ALMACREATION刊）です。

「おとひめ」とは「音秘め」。「あ」から「ん」まで五十音のカードが五十枚あります。たとえば「あ」のカードには、「エッセンス：感じる・生命」「ワンワード：LOVE（愛）」「チャイルド：ありがとう・あいしてる」……というように「あ」の音が持っている力が書かれています。

日本語のひらがな五十音が持つ一音一音の響きを音霊とイメージと文章で表現されてい

ます。ひらがなの音のイメージを見ると懐かしい宇宙のエネルギーを感じます。なぜなら、日本語自体が「自然発生音」を元に作られているので、事象と日本語の間《ま》がしっくりと自然体で感じられるからです。

はせくらみゆきさんは、主婦をしながらヒーリングアーティストとして、ヒーリング効果が素晴らしい絵を描き続けてきました。それがこの「おとひめカード」で音霊のイメージとして優しくてパワフルで神聖な絵が最高の形で世の中に出ることになりました。

まことにおめでたい、めでたいことでござります。倭姫さまもおとひめさまも大喜びです。

しかも、はせくらみゆきさんにカタカムナの吉野信子さんを紹介したら、おとひめカードにぜひカタカムナの意味も入れたかったと、ちょうどいい流れでつなげることができました。すべてはうまくいっている！

「カタカムナ」と「おとひめカード」。これら二つは同じタイミングで世の中に出て、大活躍を始めます。だからこそ、このタイミングでこの本が案内役として出て行くのです。

早く「おとひめカード」を手にしたいとわくわく心待ちにしていたら、この本を書いているときにちょうど届きました。感無量です。

「おとひめカード」には、さまざまな使い方と効用がありますが、最初に誰もがやってみたいのは、きっと自分の名前の意味を知ることだと思います。

自分の名前をこのカードから選んで、光のイメージとエネルギーの流れを感じてみてください。そこから自分の人生の意味や使命、才能などが感じられて、もっと自分を大切にするようになるでしょう。

自分のことをまた違った面から感じ取ることができて、個性や資質に改めて感動できるチャンスです。

また、グループで集まったときに、それぞれが一枚のカードを引いて、それを組み合わせて文を作ると、そのグループのエネルギーの特徴が見えてきます。

何人かで言葉を作ってみて、それぞれの関係性がクリアになったりします。

みんなで気になる言葉をカードで引いてみて、そのエネルギーを読み取ってみるのも面白いです。

「おとひめカード」は、これから日本だけでなく世界にも広がって、音霊、言霊の意味が解明されながら、言霊のパワーがどんどんアップしていきます。このカードを使うことで言葉の感性が開き、直観力もアップします。

しかも、さりげなく添えられている「アケノウタ」が素晴らしい言霊の歌なのです。電話でみゆきさんが歌ってくれて、とても魂が癒されました。

浦島太郎になった気持ちで、竜宮城をイメージしてみてください。

ゆっくり声に出して読んでみると、よりイメージが湧いてきます。

わたつみふかくうみのそこ
ゆらゆらおよくたいひらめ
なへそこむこうほらあなに
もれたるひかりみやありし
あまふるまなひたつのみや
かくやおとひめおられたし
なんしきたりしいくとせや
まちしねかいしいつかたや
おとひめふるへすすふりて
たまのをふるへたまふりて

さ き は え た ま ふ い や さ か を
ね か ひ ひ め た り た ま て は こ
み ち た る と き は な か い ま の
あ け た る と き は た ち は な の
つ る か め す へ る ひ ふ み ゆ う
な き な み す へ る み ろ く ゆ う
あ け ほ の あ け て よ あ け と り

おとひめカードのガイドブックの最後にさりげなく書かれています。ぜひ、いつかCDにしてほしいです。実際に読むときには、

「海神（わたつみ）深く海の底　ゆらゆら泳ぐたいひらめ
なべそこ向こう洞穴に　漏れたる光宮ありし
天ふる真井たつの宮　かぐや乙姫おられたし
汝来たりしいくとせや　待ちし願いしいづかたや

乙姫震え鈴振りて　玉の緒震え珠振りて
さきはえ給う　弥栄を　願い秘めたり玉手箱
満ちたる時は中今の　あけたる時はたちはなの
鶴亀統べるひふみ世（ゆう）　なぎなみ統べるミロク世（ゆう）
曙あけて夜明け鳥」のようになります。

この歌が「かごめ　かごめ」と対《つい》になっていて、かごめかごめの「返歌」のような立ち位置になっています。また、この歌（というか祝詞《のりと》）を唱えると自然がそれに呼応するなど、いろんな事象が起こりやすくなるという不思議も起きているそうです。

この本を書きながら、「おとひめカード」がどんどん創られていく過程を聞いて、同じ年に出せることが嬉しくなりました。

音霊と言霊はセットです。

オトダマとコトダマ、タマはカタカムナで、タ＝分かれる　マ＝受容・需要です。同じ音では玉、弾、球、珠、魂、霊とあります。

カタカムナでは、宇宙は有限の球だそうです。相似形に球がいろいろあって宇宙になっています。

おとひめカードのワンワード訳で見ると、た＝行動　ま＝中心　でたま＝「行動の中心」となります。

音霊と言霊を深く知ることで、宇宙をもっと理解しましょう！

日本語に秘められた聖なるパワーを受け取って、宇宙を身近に感じましょう。

これであなたも言霊の達人です！

第4章

夢を実現した人の言霊パワーをもらいましょう

何気ない言葉通りに、身体に影響がでる理由

あなたが発した言葉は、もちろん宇宙に発信されて、ちゃんと受け取ってもらうのですが、まず一番身近な自分の大脳に伝わります。

空気伝導と骨伝導の二つのルートから、大切な言葉がダブルでハモるように大脳に響いていきます。大脳はそれを新しい指令として、身体の隅々まで届くように神経伝達でまたたく間に各細胞に伝えるのです。

自分が声に出して言葉を話すと、骨を通じて身体の中を伝わって大脳に響くルートと、もう一つは口から出た音声が空気中を伝わって波動として耳から大脳に伝わるルートの二つがあるのです。

たとえば、こんな感じです。

「私は子どものころからずっとアトピーがひどくて、どんな治療をしてもダメなんです」と誰かに自分のアトピーの歴史を熱く語ると、大脳は素直にその通りに、また過去のデー

タを元にそれを継続する指令を全細胞に伝えてしまいます。そして、どんな治療をしても治らないアトピーの症状が続くのです。

「やっぱり自分のアトピーは、どんな治療をしてもダメなんだ」と本人は確信して、また熱く語っていきます。飽きるまでそのリレーが続いていくのです。

同じように、身体の体型で「私は、やせの大食いで、どんなに食べても太れないのです」や、「私は、どんなにダイエットしても、水だけでも太ってしまうのです」など、現れてくる現象は全く逆ですが、自分の言霊で自分の体型を決めているところは同じです。

口癖にしていることが、そのまま起きてきます。

声に出して言うことは、宇宙に響くだけでなく、身体の全細胞たちに伝令が伝わることなのです。

身体は宇宙から期間限定でお借りしている、大切な器です。

その器が実に素晴らしいシステムによって、成り立っています。

まさに、宇宙そのものです。

自分が発した言葉が大脳に響いて、身体全体に伝わっていく様子を見て、ますます身体が宇宙の一部だと実感しています。

自分の身体が宇宙の一部なら、もっと自分の身体を信じてあげてもいいのではないでしょうか？

しかも**宇宙の一部である身体のほうが、表面意識よりも魂に直結しているのです。身体のほうが先に、魂の意向を伝えることがあります。**

無理をしてはいけないときに、自分でどこかでわかっていても休まないでいると、身体が魂からの要請で風邪を引いたり、胃腸をおかしくしたり、ケガをしたり、そのときに応じて強制的に休むような流れを作ります。

大きな変化と気づきが必要なときには、交通事故や病気で入院のコースを選びます。身体は宇宙の一部で魂に直結しているので、身体の流れをつかむと、だんだん魂の意図が読み取れるようになるのです。

これを知るだけでも、魂と近づくことができて、人生が楽に思えてきます。

人生一切無駄なし！

いつも体調がよくて、流れるようにすべてうまくいっています。

何が起きても、それは自分の魂が選んできた体験なのですから、しっかり味わいましょう！　どうせ味わうのなら、楽しみましょう！

不安を選ぶより、「楽しむ」を選ぶ!

これを決めると、「楽しい選択」が人生の大事なタイミングにできるようになります。

面白そうなほうを選んでみるのです。先が見える、結果がわかる流れよりも、今までに体験したことがない方向を選択すると、必ず思いがけない展開になって、わくわくできることが待っています。

「どちらが面白いかしら?」と声に出してみましょう! それを大脳が聞いているので、面白そうな流れを引き寄せるようになります。

日常のいろんな場面で試してみてください!

きっと、それまでのマンネリがなくなって、とても新鮮でわくわくする、予想がつかない展開を体験できるようになります。

それが人生の冒険者への道です。

言葉の選び方で、誰でも「人生の冒険者」になれる

だんだん人生の面白さを求めて、冒険の道を選ぶようになると、思う言葉、発する言葉がいつの間にかポジティブになってきます。

それは自分でも感じられる変化です。


いかにこの瞬間を楽しむか？

不安がるより、面白がる人生を！


人生の達人になるための標語のようになりました。

この言葉をじっくりと日常に生かしてみましょう。

毎日が冒険のように面白く感じられたら、もうすでにあなたは人生の達人になっています。少なくとも人生の達人への道を歩み始めています。

私たちは、今回の人生でいろんな過去生の続きをいくつか選んできています。夏休みの宿題のように、魂の宿題をいくつか抱えてきています。これが宿命です。それらを終えることができると、人生がパーッと明るく雲の上に突き抜けたかのような自由を感じます。

夏休みの宿題が早めに終わったら、あとは遊ぶだけとなり、最高にハッピーな気分で何をして遊ぶかわくわくしてきます。

笑いが自然に出てきて、放つ言葉もポジティブなものが多くなってきます。

話す内容が暗くてマイナスが多いときは、まだ宿題を終えてないのです。まわりもそのよう理解してあげると、お互いに楽になってきます。

宿題を早く終えた人は、ゆっくりと遊べるのです。

さっさと宿題を片づけて、余裕で進めるようになりましょう。

もうすぐそのときを迎えます。笑顔が自然に出てくるようになります。

なかなか明るくできないとき、何かに引っかかっているとき、まさに魂の宿題をやっている真っ最中です。

あせらずに、必ず終わるときがくると信じて、やり遂げましょう！　必ず乗り越えられます。そのような「人生のしくみ」を計画してきています。自分の魂さんを信じて流れに乗りましょう！

この本にたどり着いているということは、もうすぐ人生の宿題を終えるのです。もうすぐの踏ん張りを、この本からパワーをもらって、たどりつくようになっています。すべてはうまくいっている！　最強の言霊パワーでスルーしましょう。

雲を突き抜けると雲の上は青空です。さわやかな気持ちになって、笑顔があふれ、選ぶ言葉の表現もすべて自然にプラスになってきます。

おめでとうございます！

見事に魂の宿題が終わりました。これからゆるゆるの楽しい人生をクリエイトします！　笑いがとまらなくなります。何かあっても、あっという間に立ち直れるようになります。そんな自分が大好きです！

魂の宿題をやっていたときの苦しさがウソのように昔の過去になってしまいます。あっという間にこちら側です。

以前よりも「人生のしくみ」がわかるようになります。とくに自分と似た宿題を抱えている人のことが手に取るようにわかります。

その人のことがわかり、ぴったりのアドバイスが浮かんで口にすると、とても喜ばれます。そのときに感じることができます。同じ悩みの人を助けられるように自分も体験してきたのだということがわかるのです。

愛が深まったと感じられる、嬉しい瞬間です。

魂の宿題が無事に終わって、これからが楽しい「人生の冒険」が始まるのです。

それを自分でわかる方法は、どんな言葉を選んで話しているか、です。

マイナスの言葉が次々と連発して出るときは、まだです。

冒険が始まったときは、マイナス言葉がだんだん出てこなくなり、プラスの言葉が主流になってきます。

どんな言葉を選ぶかによって、自分の成長度がわかってきます。とてもシンプルなバロメーターです。

「難しい」「無理」「どうせ」「やれない」「できるわけない」「まさか」「ウソでしょう?」などの言葉が消えていきます。

代わりに、**「簡単」「大丈夫」「やれる」「やってみる」「できる気がする」「よくあること」**

「そうなのよ」「うまくいくわ（よ）！」などのわくわくする言葉がどんどん増えてきます。

わくわくする言葉を選んで言えるようになると、そのプラスの言葉たちが持つエネルギーによって、気持ちがさらにわくわく、ルンルンしてきます。自然に笑顔が出てくるのです。

そうなったら、こっちのものです。何が？　もちろん宇宙を味方につけているのです。

そしてしっかりと「人生の冒険者」になっています。

この本を読んでいるあなたも、そろそろ「人生の冒険者」になるかもしれません。きっとその準備のために、守護天使の計らいで、この本を手にとったのでしょう。

「人生の冒険者」になったとたんに、次のことが起きます。

ウルトラポジティブな「人生の冒険者」を引き寄せるのです。

岡本太郎さんの言霊

プラスの言葉を連発しているうちに、それが宇宙にこだまして、いつの間にかすでに同じ夢を実現しているウルトラポジティブな「人生の冒険者」を引き寄せています。

その人は、自分よりも早く冒険を始めて、いくつかの夢実現を体験しているために、話すときの言葉にパワーがあります。

こちらから聞かなくても、必ず知りたい内容をテレパシーでキャッチして向こうから話してくれるのです。**いつもワクワクの世界にいるので、笑顔が素敵です。身振り手振りが多く、全体に自己アピールが上手です。**

最初に紹介したい「人生の冒険者」は岡本太郎さんです。

大好きな岡本太郎さんの言霊は、なんといっても「芸術は爆発だ！」でしょう！

「爆発というと、みんなドカーンという音がして、物が飛び散ったり、壊れたり、暴力的なテロを考える。僕の爆発は音もなく、宇宙に向かって、精神が、いのちがパアッと開く。

無条件に、それは爆発だ」と太郎さんは解説しています。

「本当に彼自身その瞬間に爆発している。時間は持続ではなく。瞬間、瞬間、その今に**全存在をかけて燃焼する**。だからその爆発には実感があるのだ。ただの言葉ではない、人に見せるためのパフォーマンスではない」とパートナーだった岡本敏子さんも言っています。

「ある人が言った。『あなたは絵描きさんでありながら、さかんに文章も書くし、いったいどっちが本職ですか?』『本職? そんなのありませんよ。バカバカしい。もしどうしても本職って言うんなら、〝人間〟ですね』。みんな笑う。どうして笑うんだろう。生きがいをもって猛烈に生きること。自分のうちにある、いいようのない生命感、神秘のようなもの、それを太々とぶつけて出したい」

これは、太郎さんの著書『眼——美しく怒れ』(チクマ秀版社)からの抜粋です。

多才でマルチ人間として活動している人には、共感できる言葉です。

ソルボンヌで、岡本太郎さんは芸術だけにとどまらず、哲学、民俗学、人類学、心理学と、むさぼるようにさまざまな分野の勉強をしました。

「芸術家であるのになぜ民俗学をやったか。私は現代社会の職能分化に反対だからだ、人間が絵描きであったり、小説家であったり、あるいは靴職人である、それだけであるなんて卑しい。人間はもっと全人間的に生きるべきだ」という太郎さんの叫びに共感しました。一つに縛られなくていいのです。やりたいことをどんどんやればいいのです。人間としてそのときやりたいことを追求すれば、おのずと自分が自然に表現されてきます。

私も絵を描いたり、本を書いたり、講演したり、診療したり、いろんな自分が表現されて全人間として生きています。だから岡本太郎さんが大好きなのかもしれません。

二〇一三年は、わの舞《まい》にはまりました。頼まれないのに、本や講演会で紹介してわの舞を広めました。

二〇一四年は仏画を描くことに夢中になり、カタカムナにはまって、吉野信子先生の沖縄でのカタカムナ・セミナーの主催者になってしまいました。ついにはこの言霊の本でカタカムナを紹介しています。そのとき感じたものに集中して、そこから自己表現を楽しんでいます。

今までずっと「人生のしくみ」を解説してきたので、「人生は爆発だ！」とマネして叫んでいます。

みなさんも「〇〇は爆発だ！」と、〇〇のところに好きな言葉を入れてみませんか？

破天荒《はてんこう》で世間を気にせずに、好きなように生き抜いた、まさに「人生の冒険者」です。

大阪万博で太陽の塔を創ったときも、「オレは進歩と調和なんて大嫌いだ。人類が進歩なんてしているか。原始のもののほうがずっといい。縄文《じょうもん》時代やラスコーの壁画を見ろ。あんなの現代の人間につくれるか。……ポンポンとぶつかりあわなければならない。その結果、成り立つものが調和だ」と、とても元気でした。

私は岡本太郎が大好きになり、とうとう母に頼んで講演会での笑い療法の衣装として「太陽の塔」の着ぐるみを作ってもらいました。ブルーとピンクのイルカ、七色のピエロ、鯨、陽気妃（楊貴妃）、天使と続いていろいろ作ってくれましたが、最後に「太陽の塔」をリクエストしました。これは母の最後の作品で、かつ最高傑作です。

岡本太郎子（おかもとたろこ）に本気でなりたいのです。「人生は爆発！」を身体を張ってみなさんに見てもらいたいのです。そして大笑いしてほしいのです。

母のおかげでなれました。岡本太郎さんと敏子さんにも、ぜひ見てほしかったです。

共鳴するものにはまったら、とことんはまって自己表現しましょう。

そこから面白い自分らしさが爆発して出てきます。

人生は爆発です。

今、あなたが気になるものが、あなたの光を引き出す素敵なスイッチです！

スティーブ・ジョブズさんの言霊

アップル創業者スティーブ・ジョブズさんも波瀾万丈の人生を謳歌した人です。ジョブズさんの生き方にも共鳴しました。

ジョブズさんが二〇一一年一〇月に光に帰ったあと、すぐにジョブズさんの言霊が世界中で映像や本で紹介されました。スタンフォード大学のスピーチの映像も何度も見ました。いろいろ出た本の中で、桑原晃弥著『スティーブ・ジョブズ 神の遺言』（経済界新書）に感動しました。二年前に言霊の本を書いているときだったので、ぜひジョブズさんの言霊を紹介したいと思っていたのです。それが今実現できてとても嬉しいです。

ジョブズさんも波瀾万丈な人生のシナリオを選んでいます。

二十一歳でアップル社を立ち上げ、二十五歳で巨万の富を得て、三十歳で自分の会社を追い出されて、また別会社を立ち上げ、倒産寸前のアップル社に呼ばれて、大幅に会社を変革して、さらにｉＰｏｄ、ｉＰｈｏｎｅ、ｉＰａｄなど、次々に新商品を出して世界をどんどん変えました。

私でさえスマホとｉＰａｄを毎日活用していて、大切な日用品になっています。

彼の言霊がいくつもたくさんの人々に大きな影響を与えています。私も感銘を受けたので、ここでいくつか紹介しましょう。

きっとあなたにも、ビビッとくる言霊があるはずです。

47ある中から、10を選んでみました。

1「宇宙に存在するものなら自らの手で生み出すことができる」

父の影響で、電子キットを組み立てて、大切なことをいくつか学びましたが、その中で一番がこのフレーズだったのです。

ジョブズさんは、エンジニアではなかったけれど、担当者に無理難題を言って、製品をアート（芸術）のように仕上げることができました。

「美しさとは科学的な原理がものとして表れたものだ。そうでなければならない」という言葉にもグッときました。

２「（仕事を好きだと）心の底から思い込め。でなければやり遂げるかいがない」

この言葉は、フェイスブックの創業者マーク・ザッカーバーグさんがジョブズさんから多大な影響を受けた言葉として引用されています。

サッカーバーグさんも二十五歳で億万長者になって、お金に変わる動機が「好きだ」という強い信念なのです。

３「日々を最後の日として生きよ。その日は誤ることなくやってくる」

よりよく生きるために日ごろから死を身近なものとして意識する生活は、禅《ぜん》に傾倒した若いころからのジョブズさんの生き方だったのです。

４「今日は素敵なことができたと思いながら眠りにつくこと。それが一番だ」

これは、気持ちよく眠りにつくための素敵な思い方です。

私も「今日もよく頑張った、素敵な一日だった、すべての人にありがとう！」と思って体を温めて寝るようにしています。ジョブズさんと似ていて嬉しいです。

5「今やるべきなんだ」

「いつやるの？　今でしょ！」という言葉が流行《はや》りましたが、ジョブズさんも同じことを言っていました。

彼は教育にも関心があって、全米のすべての学校にコンピューターを寄付したいと思ったら、法的に難しいことがわかり、法律を変えようとまでしました。全米は無理でしたが、カリフォルニア州の法律が変わって、九〇〇〇台を超えるアップルⅡが学校に寄付されたのです。

「もう学校にコンピューターを置いてもいい頃だよ。今やるべきなんだ。子どもたちは待てないからね」と思った彼の思いは現実化したのです。

6「何かを捨てないと前に進めない」

あと倒産まで九〇日という危機一髪のときに、ジョブズさんがアップルに戻ってきて大幅に製造ラインをカットして絞り込んだそうです。

あれもこれもと手を広げすぎると、大切な信念のラインを失ってしまうのです。ぎりぎりのところで間に合って、またジョブズさんの才能が発揮されました。

ベストタイミングに舞台が変わり、別の体験をしてから、またベストタイミングに元に戻って、さらなる発展の道を歩みます。

7「自分の価値観を信じるんだ」

アップル社を追い出されて、ジョブズさんは途方に暮れました。スペースシャトルの搭乗員にも応募しましたが、運よく選抜されず、何をしたらいいのか考えていたときに、原点に戻ってまた初心からやり直したのです。自分が一番わくわくすることを思い出して、ネクストという会社を作りました。そして、「トイ・ストーリー2」を作って大成功したのです。どんな困難なときでも、初心に帰って自分が何に価値を置いていたかを思い出すことで、ヒントがつかめます。

行き詰まったときこそ、原点に戻ることです。

8「僕らならできる」

ジョブズさんはとても楽観的です。成功している人は、みんな楽観的です。

ジョブズさんの言葉です。「人生には楽観が欠かせない。一年かかりそうでも、『今月中には見通しが立つ』と断言し、絶対無理に見えても『なんとかして見せますよ』と挑戦する。そこから道が開ける」と実に楽観的で気持ちいいです。

彼の自信は、「楽観、苦闘、完成」のサイクルから生まれたものだそうです。

あきらめない、ただひたすらできると信じて突き進む、そこから創造が可能になるのですね。

「私ならできる!」「私ならできます!」と、ぜひここで宣言してみてください。やる気と創造のパワーが出てきます。

9「僕が生命を与え、収穫する」

ジョブズさんは、自分が特別だと信じていました。抱くビジョンは強引なまでに実現しようとしたのです。

「製品は自分の内部にあり、あとは引き出すだけだ」と言い切っています。

「僕がしなくちゃいけないことは、それを具体化し、生命を与え、収穫することだ」

彼の素晴らしい才能は、ビジョンを描く力があったことでした。

ビジョンを描く力とは、創造性をイメージで先に創ってそれを現実化するプロセスです。

きっとジョブズさんは創造性に富む金星出身ではないでしょうか？　それで同じ金星人のウォルト・ディズニーさんのディズニーランドと提携してアニメ映画を創造したのではないでしょうか？

そこからさらにアップルにもどって、iPod、iPhone、iPadなど、さらに素晴らしい製品を次々に創造できたのでしょう。

一度アップルを出て、違う体験をしてからまた戻って新しいものを創り出す、これは私たちの人生にも活用できます。

10「探し続けなくてはならない。妥協はダメだ」

「星に届きそうなほど高いビジョンを掲げ、スタッフのモチベーションを猛烈に高める、率先して極限まで働き、それをスタッフに伝染させる。こうしてプロジェクトが白熱していくとき、スタッフはジョブズに働かされるのではない。自分から働く気になっている。だから、みんなジョブズに感謝する。」

ジョブズさんは、人をその気にさせる天才ですね！　探求心を起こし、それを自分もみんなも巻き込んで追究していく、決して妥協しないことなのです。

これは**完璧主義ではなく、最高主義です。**私の夫から学んだ哲学でもあります。

「僕がこだわっているのは、完璧主義だからじゃないよ。最高主義なんだ！」

自分の夢実現のために、最高を求めていく生き方です。妥協しない、自分の価値観や人生観にこだわることが素晴らしい人生を創っていく大事な芯のところです。このこだわりは大切です。

人生でここぞと思うところは、ぜひ探求を続けましょう！

この本を書いているおかげで、ジョブズさんの人生哲学に触れて、最高にわくわくしています。自分の世界観にぜひ取り入れたくて、たくさん引用してみました。

第二、第三のジョブズさんがどんどん登場していくことを期待していると思います。

ジョブズさんのあとに続きましょう！

彼の珠玉の言霊を、ぜひ自分の世界観にインプットしておきましょう！

良寛さんの愛語

ジョブズさんの次に、対極的な感じがするゆったりの良寛《りょうかん》さんが登場しました。良寛さんは子どもたちにとても優しくて、よく子どもたちと遊んだお坊様で有名です。

私も良寛さんが大好きで、とうとう誕生地の出雲崎《いずもざき》まで訪ねたことがありました。出雲崎は新潟にあります。海が見える、とてものんびりと穏やかなところです。ここで良寛さんの穏やかな性格ができたのかしら、と輝く夕日を見ながら想像の翼を広げてみました。

でも、海辺近くにある良寛さんの銅像を見てびっくり！　まるで宇宙人に見えたからです。思わず「良寛さん、どの星からいらしたのですか？」と聞いてみたら、「M31です！」と即答だったので、またびっくり！　そう言われてもどこだかわかりません。あとで調べたら、アンドロメダ銀河でした。なんと一兆個も星があって、探すのは大変です。まるで豆腐のようです。豆腐一丁（兆）！

アバウトに「良寛さんはアンドロメダ星人」と思うことにしました。

おっと、星の話ではなく、言霊の話でした。

良寛さんの資料館で、大好きな良寛さんについてのいろんな本を買ってしまいました。その中でとくに気になったのが、自由訳 新井満『良寛さんの愛語』（考古堂）という本でした。やはり、言霊の本を書くときに、ぜひ紹介したいと思いました。

新井満さんといえば、写真詩集『千の風になって』が話題になって、それから「千の風になって」の歌が一気に広まりました。あの歌で多くの方の死生観が明るくなり、みんなの死への恐怖がかなり和《やわ》らぎました。

良寛さんの言霊の本も、優しく自由訳されています。

まず「愛語」という素敵な言葉にびっくりしました。初めて聞く言葉だったからです。愛と笑いの癒しをしてきたのに、愛の言葉かけを推進してきたのに、まったく初めて耳にする言葉でした。みなさんはご存じでしたか？

新井満さんが「はじめに」に、この言葉の由来を書いてくれています。

愛語の作者は良寛さんではなく、実は道元さんが鎌倉初期に書いた『正法眼蔵《しょうぼうげんぞう》』の中に愛語があるそうです。五百年後にそれを読んだ良寛さんが感動して道元さんを師と仰いで、「愛語」の人生を送ることになったのです。

愛語という言葉を知って、道元さんを師と仰ぎ、その生き方をすると決めたのは、きっと良寛さん自身にも道元さんのエネルギーを持っていたからだと思います。**私たちは、過去の自分に出会って反応し、そこからさらに探求を深めていく体験をしている**のです。

そして最晩年、七十四歳のときに「愛語」全部を思い出して書いたそうです。

「愛語ト云ハ　衆生ヲ見ルニ　マヅ慈愛ノ心ヲオコシ　顧愛ノ言語ヲ　ホドコスナリ
ホヨソ暴悪ノ言語ナキナリ　世俗ニハ安否ヲトフ礼儀アリ　佛道ニハ　珍重ノコトバアリ
不審ノ孝行アリ　慈念　衆生　猶如赤子ノオモヒ　ヲ　タクハヘテ言語スルハ愛語ナリ
徳アルハ　ホムベシ　徳ナキハ　アハレムベシ　愛語ヲ　コノムヨリハ　ヤウヤク愛語
ヲ増長スルナリ　シカアレバ　ヒゴロシラレズ　ミヘザル愛語モ現前スルナリ　現在ノ身
命ノ存スルアヒダ　コノンデ愛語スベシ　世々生々ニモ不退転ナラン　怨敵ヲ降伏シ　君
子ヲ和睦ナラシムルコト　愛語ヲ　本トスルナリ　向テ愛語ヲキクハ　ヲモテヲ　ヨロコ
バシメ　ココロヲ楽シクス　向カハズシテ　愛語ヲキクハ　肝ニ銘ジ　魂ニ銘ズ　シルベシ
愛語ハ愛心ヨリオコル　愛心ハ慈心ヲ種子トセリ　愛語ヨク　廻天ノ力ラ　アルコトヲ
学スベキナリ　タヾ能ヲ賞スルノミニアラズ　沙門良寛謹書」

つい原書をそのまま書いてしまいました。引き込まれてしまったのです。

カタカナの表記が、まるでカタカムナのように感じられて嬉しくなりました。

普段あまり使わないヲがたくさんあって楽しいです。

これを今の私たちがなじみのひらがなと、さらに優しい表現をするとこうなります。

「愛語とは、人々を見ていると、まず慈愛の心を起こして、気にかけた言葉を与えることです。決して乱暴な言葉ではありません。世の中では元気がどうかを尋ねる礼儀があります。仏道には「お気をつけて」という言葉があります。「いかがですか?」という老いた人へのいたわりの行いがあります。**慈しみのこころを持って人々に赤子に接するような思いで言葉をかければ、それが愛語になります。**

では、途中まで気になったところを抜粋して、新井さんの自由訳を紹介します。

「愛語、というものがあります　相手をやさしく思いやる言葉という意味です
ところで愛語とは　どこから生まれてくるのでしょう　それは
相手をやさしく思いやる心　言わば愛心から生まれてきます
まずは、心があって　次にその心から、言葉が生まれてくるというわけです……

相手を抱擁する　あたたかな春風のような愛心
さあ、相手をやさしく思いやる愛心を持ちましょう
そして　愛心から発せられた愛語をあの人に、そっとかけてあげましょう……
いのちが、すべての基本です
相手のいのち、即ち相手の健康と平安を気づかう愛心から　この愛語は生まれました
さあ今日も　あの人に、さりげなく　愛語をかけてあげましょう
「お変わりございませんか…」……
生まれたばかりの赤ちゃんに接するような気持になって
言葉をかけてあげたらよいのです……
すすんで誉めてあげましょう　**「よくやったねえ！」「すばらしいねえ！」**……
すすんで祝福してあげましょう　**「おめでとう！」「よかったねえ！」**
これも愛語です……
手をとりあって、共に涙を流しながら
「たいへんでしたねえ…」「つらいことでしたねえ…」
これも愛語です

相手をやさしく思いやる心から　相手をやさしく思いやる言葉が次々に生まれてきます
愛語をつかえばつかうほど　さらに新しい愛語が生まれてきます
泉から湧き出てくる　清らかな水のように　あとからあとから次々に
よどみなく生まれてきます
やがてそれは　小川を集めて河川となり　ついには大河となって
世の中という大地をうるおすのです」

いかがでしたか？　「千の風になって」を思い出すような、美しい歌のように愛語が表現されています。道元さんも良寛さんも新井さんも、みんな素敵です。

愛語が泉のように湧き出て、愛という光の河になって、きっと地球を光で覆い尽くすときが来るようなイメージが生まれてきます。

ジョブズさんが、素敵な男性性のパワーで言霊を表現してくれました。

良寛さんが、優しい女性性のパワーで愛語を表現してくれました。

私たちは、先人が創ってくれた道を、笑顔と愛語で、わくわくダイナミックに、そして楽しくゆるゆると広げていきたいと思います。

「幸せ時空間」を選ぶ言霊

ウルトラポジティブな「人生の冒険者」の話を聞くと、よく使う口癖になっている言葉がいくつかあります。それを見つけ出して、ちょっとマネをすると、一気にその人のオーラに包まれて、パワーを受け取ることができます。

そのうち、自分にぴったりの明るい口癖が見つかってきて、好きになってその言霊を繰り返して言っているうちに、自分を励ます素敵な言霊が見つかります。しばらく繰り返して言ってみましょう！

リズムが出てきて、自分らしい流れになってきます。

私の元気が出る言霊は、「すべてはうまくいっている！」「すべってもうまくいっている！」「人生一切無駄なし」「大丈夫、大丈夫、大丈夫ったら大丈夫！」「人生最高ブラボー！」「前代未聞」「面白い〜」「エクスタシーチェンジ」です。

あなたにも好きな言霊がありますか？

あったら、ぜひ三回ずつ唱えてみてくださいね。必ず大脳と宇宙が聞いて、しっかりと引き寄せてくれます。

あなたよりも先に同じような夢実現をしている人を見つけたら、遠目にチラッと見るのではなく、近づいていって、その人のオーラ圏内に入れば、確実に相手の周波数の影響を受けて、ひらめきや即決のスキルがアップする流れが始まります。

共鳴して同調して波動が上がってくるのです。

そばにいて嬉しくてわくわくしてくる感じがしたら、すでにその流れが始まっています。

逆にどんより暗い気持ちになるのは、違和感があって波長が合っていないときの感覚です。そんな感じをパッと受け取ったら、急に用事を思い出したかのようにさっとその場から離れましょう！

にこやかに笑顔で、さらっと「ありがとう！　さようなら！」です。

この「ありがとう！　さようなら！」の言霊は、とても便利です。

人や物や場所との距離を置きたいときに、あっという間に「すっきり心地よい距離」を作れるからです。

自分が影響を受けたい人のオーラ圏には、なるべく近づいてしばらく波動温泉に入っているかのように充電しましょう！

影響を受けたくない人とは、なるべく関わらないように、アンタッチャブルです。たとえ、昔は一世を風靡《ふうび》した人でも、今現在の波動が低ければ関わらないほうがいいです。苦手な波動からすぐに引くことをお勧めします。

大事なのは、過去はどうあれ、今の波動がどうなのかを見極めることです。

過去の栄光ではなく、今この瞬間どうなのかが大切なのです。


自分の世界を心地よく保つのは、自己責任です。

だから選んでいいのです。この瞬間、瞬間に自分に心地よい時空間を選べるのです。


それを促進する言霊は、「あ〜幸せ〜」です。

これは、本当に魔法の言葉です。きっとみなさんもお風呂につかった瞬間、思わず声に出して言っているでしょう。

それをお風呂以外でも、時々「あ〜幸せ〜」とつぶやいてみることで、「幸せ時空間」を選んでいます。

夫婦やカップルで、「幸せですか？」「とても幸せですよ〜」「あなたは？」「もちろん、僕も幸せだ～」と、時々確かめ合うのも素敵です。そのさりげない会話だけで、「幸せ時空間」にすぐ入れます。

いろんな感情が交差していても、たとえ喧嘩《けんか》していても、このシンプルな幸せ問いかけだけで、「ああ、そうだった。私たちは一緒にいられるだけで幸せだった」と再確認して、リセットされます。

リセットできる言霊を知っておくと、これも便利です。

最強なのは、なんといっても**「ありがとう」「ありがたい」「ありがとうございます」**という感謝の言霊です。

生かされていて、ありがとうございます。

このいのちにありがとうございます！

一人では生きていけない、みんなのおかげです。本当にありがとうございます！

お家さんにありがとう！　とても快適に暮らせています。本当にありがとう！

家具さんにもありがとう！　木のぬくもりが素敵です。

ベッドさんにありがとう！　あなたのおかげで眠れます。

車さんにもありがとう！　おかげでいろんなところへ行けます。

みなさんも、**「ありがとう探し」**をやってみませんか？


「ありがとう」の反対は何だと思いますか？

なんと、「あたりまえ」だそうです。

とてもシンプルですね！

感謝が出てこないときは、「あたりまえ」だと思っているのです。

だから、病気になると健康であることに感謝が出てきます。

健康だったときには、それがあたりまえだったので、感謝が思い浮かばなかったのです。

悲しみを体験して喜びがわかるように、相対するものを両方体験することで、全体像が見えてきます。

感謝を知ることが人生のテーマの場合は、あたりまえの生活が一変するできごとを体験します。それが病気だったり、離別だったり、リストラだったり、天災だったり、人によってさまざまですが、遭遇して大切なものを失ったときに、やっとあたりまえにあったものの価値がわかります。

あたりまえに日常であり続けると思ったのに、それが壊れて、失ってお先真っ暗になって落ち込みます。うつになります。自分が最高に不幸だと悲劇の主人公になります。

そこで、ふだんから言霊のことを知っていると、立ち直りが早いのです。一度でも私の本を読んだり、講演会に参加したり、ワークに参加したことがあると、必ず最後に体験させられるカニ踊りのフレーズが思い出されてきます。

「すべてはうまくいっている！」を思い出したら、そのときが浮上のタイミングです。

思い出しただけで、その流れ、その世界観にチャンネルが合います。一気に明るい世界に引き上げられていきます。


いろんな方から今まで「カニ踊り」の素晴らしさを聞いてきました。

「会社が倒産して、どんと一気に落とされた気分になりました。

そのときカニ踊りの『すべてはうまくいっている〜』を思い出して何度も心の中に響いてくるのです。あれにはびっくりしました。まるでスイッチが入ったかのように一変したのです。

そして楽しいカニ踊り音頭のCDを持っていたことを思い出してかけてみたら、〝リストラされて仕事がなくてもこれさえあればうまくいく、それカニ踊り、カニ踊り、すべてはうまくいっている！　おもろい仕事が待っています〜〃がグンと魂に響いてきました。

それからすぐに本当に面白い仕事が友達経由でやってきたのです。びっくりしました。

カニ踊り音頭の歌詞そっくりの体験をしました」

と、嬉しそうに語る方の笑顔にこちらまで癒されて、「カニ踊り」を作ってよかった、「カニ踊り音頭」のCDを作ってよかったとしみじみ思いました。

力強い言霊は、何かが起きる前に潜在意識にインプットしておくと、いざというときにチカラを発揮します。

だから覚えておきましょう。

すべてはうまくいっている！

知っておくと助かる「人生のしくみ」

最強の言霊を知っておくと、いざというときに思い出して、すぐに役に立ちますが、「人生のしくみ」の全体像を知っておくと、何かびっくりするようなことが起きても、うろたえないのです。

人生の一番の恐怖だとされている「死の恐怖」でさえそうです。

死が決して終わりではなく、次のステージへのプロセスで、また必ずお互いに会えるとわかっていたら、そんなに落ち込まなくてすみます。

私たちは、永遠のいのちを持っていて、いろんな体験をするために自分の魂さんが人生のシナリオを書いて、それを専属の守護天使が読んで予習をして、いろんな体験の段取りをきっちりして応援してくれています。

どんな大変な出来事でも、**一人ぼっちではなく、すぐそばに守護天使が守ってくれています。**

父がガンで亡くなり、光に帰って行ったときのことでした。そのときは淋しくても、すぐベッドの上に白い着物を着て、髪の長い二人の若い美しい天女にはさまれて、にこにこ嬉しそうに「もう行くからね！　母さんをよろしく！　見守っているよ！」と言った瞬間に三人とも消えてしまいました。

亡くなると着替えも行動も早いです。

あっという間の出来事で話ができませんでしたが、母や弟たちに報告して、心の中でほっと安心したような穏やかな気持ちになれました。

クリニックには、愛する人を亡くして、ちゃんとすぐに光に帰れたかどうかを聞きに来る方もいます。

私は一応、精神科医なのですが、魂の通訳として亡くなった方の通訳もしています。

たとえ自害された方でも、ちゃんと光に帰っています。地獄という世界は人間の想念で作られたものなので、実体がありません。想念帯の中にある雲か霞《かすみ》のようなものです。愛や光が来ると綿飴《わたあめ》のようにジュッと溶けて消えます。

まさに虚像です。だから大丈夫なのです。

ただ、自害してあの世に帰ったときに、自分の人生のビデオを仲間とみんなで一緒に見るので、最後のシーンを見るときに「あちゃ〜」と恥ずかしくなったり、残念な気持ちになったりします。

そして、すぐに生まれ変わる人のためのオリエンテーションを受けて、あまりあの世で休まないで、すぐに生まれ変わってくるのです。

最近、仕事のことでうつ状態になっているケースに出会いました。

過去生で自害をして、その続きを現在もやっている男性です。

イギリス時代に仕事を頑張って、それが会社の発展に大いに役に立ったのに、上司に手柄を取られて本人はちっとも認めてもらえず、頭にきて会社で自害した過去生がありました。

その続きを今生《こんじょう》でしているので、今回も会社で頑張っているのに認めてもらえず、子会社に出向させられてうつになってしまいました。抗うつ剤を飲んでもあまり効果がなく、人生の謎解きをしに受診されました。

彼の心の中には、「自分はダメだ。認めてもらえない。うつだ。この仕事が向いているのか?」など次々とマイナスフレーズがいっぱいの状態でした。

まずは、インナーチャイルドの癒しをしました。

「生まれてきてくれてありがとう！」「大好き！」「よく頑張ったね！」など自分の存在ややってきたことを認めてほめてあげるワークをしっかり声に出して言ってみました。そのとき声かけしやすいように、ぬいぐるみを持って抱きしめながら、自分のインナーチャイルドをイメージしてやってもらいました。

彼を認める言霊は、彼自身からのリクエストで、インナーチャイルドがとても喜んで大満足でした。

どんよりと暗い表情だった彼の顔が明るくなって、目も輝いてきました。

イギリス時代の続きをやっていたので、またいいアイデアを上司に取られるのではないかと、直感やインスピレーションが出てくる第三の目を自分で閉じてしまいました。第三の目は、おでこの真ん中に誰にでもあります。

もし自分で「第三の目を開く」と決めたら、またそこから素敵なアイデアが湧いてきます。

いろんな謎解きができると、今まで自分に起きた不可解な出来事に意味合いが生まれて、受け入れることができます。「これでいいのだ！」と心から思うことができるのです。それによって、後悔や疑惑の思いのエネルギーがことごとく回収されて、今使えるエネルギーがたっぷりになります。

彼に笑顔と目の輝きが戻ってくると、そばにいた優しい奥さんも、「あっ、顔が全然違う。明るくなったわ！　よかった〜」と嬉しくて涙目になっていました。

元気よく、万歳テラスで一緒に解放記念の万歳三唱をして、しっかり笑いながらカニ踊りをやりました。

すべてはうまくいっている！

その後、彼はうつの薬をやめることができました。とても元気になって、また仕事に燃えて、本来のやる気が出てきたそうです。

自分が自分をどう思えるか、自分の人生をどのように捉えられるかで、気分が全く変わってきます。

「人生のしくみ」を知ることは、あなたの心の思い込みをマイナスからプラスに変えることができるのです。

そしてさらに進化して、愛が深まるために生まれ変わって、いろんな体験をしているのですから、必ず幸せになる方向に生きてきています。

それを信じて、明るい世界観を自分の人生として選んでみましょう！

あなたが今思えば、一瞬で住んでいる世界が変わります。

今、自然に歌が生まれてきました。

はるかなる宇宙から、ことわりが来るよ、あなたの魂の響きが来るよ
はるかなる宇宙から、いのちの言葉が来るよ、あなたのいのちの響きが来るよ
はるかなる銀河から、音霊が来るよ、あなたの魂から音が流れて来るよ
自分らしい言霊が心から生まれる
自分らしい言霊が体験から生まれる
言霊が生まれて、宇宙に流れ、宇宙に響いて音楽になる

はるかな宇宙から言霊が響いてきます。それが自分の中で体験とともに発酵して、自分らしいエネルギーが含まれて、また宇宙に発信されていくのです。

それがたくさん集まると宇宙交響曲になります。

私たちの言霊が宇宙の音楽になっていくのです。

今がその音楽を作るときです。

集大成の音楽を作るときなのです。

私たちの体験から生まれる言霊で、壮大な音楽を作りましょう！

母音がたくさん入った日本語という聖なる言語を使って、美しいユートピアの曲を創りましょう！

そのために日本を選んで、日本人として生まれてきました。

そのために日本語を使って、人生を創造しています。

今、ここに生きている意味を思い出して、元気よく人生を爆発しましょう！

いのちを輝かせましょう！

あなたは、もう人生の冒険者です。

ありのままに、あるがままに生きて、自分を好きになりましょう！

笑顔でゆるゆる〜　ここぞというときに、人生爆発です！

第５章

あなたの魂を動かす最強の言葉集

この章は、読んだらすぐに言霊のワークができる、とてもわかりやすくて、ちょっと笑える素敵な言霊を集めてみました。

「魂を動かす最強の言葉集」という素晴らしい題がつきました。

きっとあなたの魂が気持ちよく動いて、すぐに口に出して言ってみたくなるでしょう。実際に声に出して、三回ずつ言ってみてください。

きっとあなたの新しい素敵な思い込みになるはずです。

日めくりのように、今日の最強の言葉を選んで、声に出して言ってみましょう！　きっと素敵な一日の始まりになります。

kotodama 1

すべてはうまくいっている！

まず最初に浮かんでくる最強の言葉は、この「すべてはうまくいっている！」です。

般若心経《はんにゃしんぎょう》をひと言で言うと、「すべてはうまくいっている！」です。

チベットやネパールに行っても、「オンマニペメフン」を繰り返し唱えるCDが売られていて、その意味は、「すべてはうまくいっている！」です。

この言葉はいつも講演会やセミナーやクリニックの診療のときに、カニ踊りとして、右二回、左二回と横歩きをしながら、最後は三回エイ、エイ、エ〜イと元気よく唱えるようにしています。

この魔法の言葉**「すべてはうまくいっている！」**を口癖にして、潜在意識にしっかりとインプットできると、人生観がガラリと変わって自然にポジティブになります。どんなことが起きても、すぐには落ち込まなくなります。

たとえ落ち込んでも、「これにも意味があって、きっともっと幸せになるための出来事に違いない」とおめでたく考えられるようになります。

カニ踊りを一度でも踊ったことがあると、「すべてはうまくいっている！」という断定的でパワフルな言霊を少なくとも十二回くらいは唱えるので、しっかりと潜在意識に新しい思い込みとしてインプットされます。

試しに口ずさんでみてください。

「すべてはうまくいっている！」

「うまくいっている！」と断言するところが、なんとも言えない安心感があふれ出ていて、大変心地いいのです。

この言霊をいつも口癖のように言っていると、自然に潜在意識に刷り込まれて、しっかりと世界観がおめでたくなってきます。そのおかげで、どんなことが起きてもしっかりと受け止めることができて、さらに前進できるようになります。

たとえすべったり、ころんだりしても、パロディ版の「すべってもうまくいっている！」があります。

大阪の中之島公会堂の講演会で、本当にドレスの裾を踏んでしまって、階段を踏み外したときにも、思わず「すべってもうまくいっている！」と言えたので大爆笑となりました。

自分自身もちゃんと必要なときに瞬時に言えたので有言実行を示すことができました。しかも笑いの殿堂の大阪で決めることができたので、大満足でした。

天才コピーライターのひすいこたろうさんが、とても気に入ってくださって、ご著書に、「すべてはうまくいっている！ すべってもうまくいっている！」を取り上げてくれました。とてもハッピーで嬉しいです。

十年以上もずっとこの魔法の言霊を「カニ踊り」として、クリニックの診療の最後に、患者さんやそのご家族と、さらにセミナーや講演会の最後に参加者全員で唱えています。「越智啓子と言えば、カニ踊り」というくらい、定番になってきています。

そして、私自身の人生も、本当に毎日すべてはうまくいっています！

今日から、あなたの人生もこれからずっと「すべてはうまくいっている」の流れに変わります。最強の魔法の言葉を、ぜひあなたの世界観に入れてみてください。人生がパッと明るく楽しくなってきます。

私が自信を持ってお勧めできる言霊のナンバーワンです。

kotodama 2

ありがとう！

とてもシンプルで、誰もが知っている魔法の言葉です。「ありがとう」を唱える運動まで起きました。「ありがとう」をたくさん唱えると夢が叶うというので、何万回も繰り返し唱えるという方法も流行りました。

「ありがとう」の響きが宇宙にこだまして、夢実現の受け取り上手になります。

「ありがとう」という感謝の言葉は、本当に魔法の言葉です。たとえ気持ちがこもっていなくても、言葉が持つ力であっという間に波動が高まって、場の雰囲気を一気に上げることができます。

「ありがとうございます！」を念仏のように繰り返して唱えると、病気が治ったり、経済的な問題が解決したり、いろんなことが好転するという現象を引き寄せています。

これほどシンプルで、パワフルな言葉はありません！

江本勝さんの『水からの伝言』にも最初から登場します！「ありがとう」と書かれた

紙を水の入ったボトルに貼り付けるだけで、波動が上がって結晶写真が美しく撮られています。とっても言霊のチカラがわかるシンプルな実験です。

これが発展して、ある小学校五年生の男の子が実験した、炊きたてのごはんの実験が有名になりました。空き瓶三個に、炊きたてのごはんを入れて、それぞれに「ありがとう！」と「ばか」のレッテルを貼り付けます。三つ目には何も貼り付けません。

中のごはんの変化を見るのですが、「ありがとう！」の言葉が貼られたごはんは発酵していい香りがしてきます。「ばか」の言葉のごはんはカビが生えてきますが、最後の何も貼られていないごはんが、黒ずんで嫌なにおいがする結果になりました。つまり、無視されたごはんが一番ひどい変化になったのです。

これで、感謝の言葉がいかに素敵な変化になるかがわかります。それだけでなく、無視されると一番ひどい結果になったのです。

マイナスの言葉より、無視されることが一番淋しいのです。

子どもの世界でも、たとえいじめられても、無視されるよりは存在を認めてもらえて安心できるという気持ちが、このごはんの実験で思いがけない結果が出ました。

前に紹介したように、「ありがとう！」の反対は、「あたりまえ」と聞いたことがありますが、それも無視することと通じるものがあります。**「ありがとう！」の深い意味は、存在していることをしっかり認めていることになるのです。**

カタカムナの思念読みをしてみると、「ありがとう！」＝「感じる離れたチカラの統合が生まれ出る」となります。つまり、「離れていた力がまとまって新たな力になること」なのです。

私たち自身も元は大きな光でしたが、ビックバンで飛び散って分光しました。それがまた、この「ありがとう！」の言霊で集まって大きな光に戻るということなのです。これは光としての自分たちが再度集まって大きな光に統合せよという宇宙の号令のような響きを持っています。

ちょうど今の時代に必要な流れです。

カタカムナ思念で読み取ることは、宇宙のエネルギーとしての動きを読み取ることになり、わくわくしてきます。

「ありがとう！」の言霊は、バラバラになった光がまた集まって大きな光になるユートピアのエッセンスです。これからも、いろんな場面で**「ありがとう！」を活用して、大きな光となってパワフルに統合していきましょう！**

kotodama 3

お元気様です！

仕事場で当たり前のようによく使われる言葉が「お疲れ様です」というねぎらいの言葉です。これは疲れが取れるようで、取れません。「お疲れ」という言葉のパワーが低いからです。疲れていなくても口癖になっていると、「疲れ」という言葉のパワーが潜在意識にどんどんインプットされて、疲れていなくてもマイナス言葉の影響を受けて一瞬で疲れてしまいます。もったいないことです。

「お疲れ様です」の代わりに、「お元気様です！」を言ってみましょう！

これを新しい習慣にして、会社ごと始めてみましょう。

あなたがもし経営者や役職を持っている立場だったら、すぐにでも新しい習慣として「お元気様です！」をお互いに言うようにしましょう！

まだ会社に入りたてでも、朝礼かミーティングで提案してみましょう！

響きが変わり、部署や会社全体の雰囲気がとても明るくなります。

「元気」というパワフルな言葉の響きを、自分も相手もお互いに聞いているうちに疲れが取れて元気スイッチが入り、本当に元気になっていきます。

お互いに元気になるというプロセスが新鮮です！

飲み会に行って、ビールで乾杯のときに、「お疲れ様でした〜！」と言うよりも、「お元気様でした！」と晴れやかに言うほうが、元気パワーが炸裂して、飲み会もぐんと盛り上がってきます。

ぜひ試してみてください！　飲み会でまず試してみて、好評になれば自然に会社でも新しい挨拶の言葉として習慣になってきます。

挨拶の言葉だけでなく、思わず自分自身でつぶやくときにも、「疲れた〜」の代わりに、**「今日もよく働いた〜」「充実した〜」「達成感バッチリ！」**のようなプラスの言葉に入れ替えてみましょう！

言葉のパワーで疲れが吹っ飛びます。

自分の好みの明るい言葉に入れ替えることで、疲れが取れて逆に癒されて、さらに元気になれます。

今日もお元気様です！

kotodama 4

大丈夫よ！

何か心配していることがあると、誰かに「大丈夫よ！」と言ってもらえれば安心して次の段階にいけます。**不安がっている人がいたら、とっさに「大丈夫よ！」と安心の波動が一気に広がる言霊を言ってみましょう！**

「大丈夫よ！」と言ってから、どこが大丈夫なのかをじっくり考えてみましょう！

たとえば、お子さんがケガをして泣いていても、**「大丈夫よ！ ○○だけでよかったわね！」「大丈夫よ！ 痛いの痛いの、飛んでけ～」「傷は浅い、大丈夫だ！」「大丈夫よ！まだ生きている！」「大丈夫よ！ 奇跡の生還おめでとう！」**など、「大丈夫よ！」と一緒に添える言葉も、ちょっとユーモラスにしてみましょう！

もしかしたら、とっさのときにこの安心できる言霊を言える人が、あなただけかもしれません。

少しでも不安が取れる言葉を相手に言うことで、自分も相手もほっとひと安心できます。

何か思いがけないことが起きたときに、先のことへの不安が取れて、気持ちをなだめ、冷静にさせてくれる言葉です。

「大丈夫よ！！」と力強く言ってみて、すぐにその後のフレーズが思いつかなくても大丈夫です！

たとえ「どうして大丈夫だと言い切れるのよ！」と突っ込まれても、「どうしても大丈夫という気がするのよ！　私の直感はいつも当たるのよ！　本当に大丈夫だから！」と連呼すると、相手の潜在意識にしっかりと「大丈夫よ！」という言霊がインプットされて、相手もだんだん大丈夫のような気がしてくるのです。

元気な言葉をひたすら繰り返しても、ちゃんと言霊が効いてパワーアップしてきます。

あなたの未来は、本当に大丈夫ですよ！

私の直感は、とても当たるのです。

すべてはうまくいっている！

kotodama 5

生まれてきてくれてありがとう!

この愛いっぱいの言葉は、素晴らしいチカラを持っています。**インナーチャイルドの癒しに絶大な癒し効果をもたらしてくれる愛の言葉です。**

生まれて存在していることを、まるごと認めて受け止めてくれる、無条件の愛の言葉です。必ず愛を感じることができて、お腹にいる感情の象徴であるインナーチャイルドがとても喜びます。キャピキャピして笑顔になります。

とくに生まれてきたときに望まれなかったことがあると、この言葉に反応して号泣することもあります。

男の子を期待されたのに、「なんだ、また女か!」と父親にがっかりされた場合も、赤ちゃんは波動で感じるので、しっかり否定されてトラウマになります。そのときのショックで女の子らしい格好をしなくなります。ショートカットにズボンが定番になってしまいます。

心当たりがある方は、ぜひ自分を抱きしめて、この無条件の愛の言葉を言ってあげてください。もしかしたらトラウマが溶けてきて、涙がポロポロあふれてくるかもしれません。**私たちは、安心できる環境を感じると泣くことができます。**悲しみや悔しさをため込んでいると、優しい愛があふれる言葉で解放されて、涙がとめどなく流れてきます。この愛の言葉は、最強の癒しパワーを持っています。

ぜひ、すぐに声に出して自分を抱きしめながら言ってみてください。

ご家族で、背中の真ん中を手ですりすりしながら、ぜひ言ってあげてください。背中の真ん中は、ちょうど愛のピンク光線が出るハートの裏側で、一番よく愛を受け取る場所です。

そこに手を当てて、「生まれてきてくれてありがとう！　今日までよく頑張ってきたね！」を相手に聞えるように言ってあげてください。

家族の間でもこの言葉は魔法のパワーを持っていて、とても癒されます。

自己嫌悪の強い方にも、ぜひおすすめです。

自分を認めることができたら、かなりインナーチャイルドが癒されて愛をもらうことができます。淋しかった気持ちが癒されて、安心感が出てきます。

自分もここにいていいのだと思えて、ほっとできるのです。ほっとしたときに緊張が取れて、気持ちがほぐれて、ゆるゆるになります。

自己否定の感情が潜在意識にたまると、同じ波長の臓器、脾臓《ひぞう》に集まってくるので、左側の腰の少し上のあたりが腫《は》れてきます。左手で脇の下をさすってみてください。プクッと腫れていたら、自己否定の感情が脾臓にたまっていますので、魂さんが解放してほしいというリクエストの腫れです。

自分を抱きしめて、「大好き!」「生まれてきてくれてありがとう!」となるべく大きな声で言ってみてください。しばらくして、また脾臓を触ってみて、先ほどの腫れが引いてスルッと平らになっていたら、かなりの自己否定の感情が取れたと思ってください。この魔法の言葉が大きな働きをしたことになります。ブラボーです!

あなたは、かけがえのない魂です。ずっと生き続けてきた大切ないのちです。

生まれてきてくれて、本当にありがとう!

大好きです!

kotodama 6

お好きなように！

いろんな相談を受けますが、人生の選択で悩んでいるときは、こちらが決めることではないので、「お好きなように！」と答えるようにしています。

「どちらの選択がいいでしょうか？」と聞かれても、「楽しい選択を！」と答えています。

今まで、私たちは権力者と奴隷のゲームを二千年近く続けてきました。

それは、有名な三ツ星のオリオン星座の時代からずっと続けてきています。

まるで、宇宙戦艦ヤマトのように、宇宙を旅してやっと地球にたどりついて、この愛の星に住み始めました。

最初はアトランティスに住んで、アトランティスが沈んでからは、エジプトに住んだようです。いまだに足首に奴隷時代の足かせをつけたままの方がクリニックに来診されて、その足かせを解放すると、自由になって意識も広がり、目の前の視界まで明るくクリアに見えるようになります。

最近は両方の足首にそれぞれ、エジプト時代とアフリカ・アメリカ時代の足かせがエネルギーとして残っていて、解放した男性がいました。

今の奥さんがエジプト時代に自分の女主人で、アメリカ時代にも親切な白人女性で登場していました。

その解説を聞いた彼は久しぶりに大笑いをして、気持ちよく両足の足かせと「奴隷根性」を解放しました。これからの変化が楽しみでした。もちろん彼に、

「これから好きなことが感覚としてわかるようになりますよ！どうぞお好きなように人生を楽しんでくださいね！」

と贈る言葉を伝えました。


奴隷解放が無事できたら、私たちは主体性を取り戻して、自分が好きな道を歩むようになります。

長年の「権力者・奴隷のゲーム」がやっと終了しました。

ゲームセットです。これからは、あなた自身の主人は自分です。

自由です！　おめでとうございます！

自分がやりたいように、自分で自分の人生の舵取りができます。

最初はどうしていいのか戸惑うかもしれません。今まで言うとおりに動いてきて、舵取りを自分でしなくていいので、決断しなくていいという意味では楽だったかもしれません。これから自分ですべて決めていくという新鮮で、ちょっとドキドキの人生が展開していきます。

でも、そばには生まれる少し前からずっと張り付いている守護天使さんもいます。一人ぼっちではありません。ちゃんと見守ってくれています。

これからは、あなたの出番です。自分がやりたいことを思い出してみましょう！　自分で舵取りをして、大海原に航海へ出ます！

どうぞ、お好きなように！

kotodama 7

ゆるゆる〜

最近、クリニックでのセッションや講演会で、「ゆるゆる〜」を連発しています。ちょうど今、全国で「ゆるキャラ」がはやっています。これも「人生一切無駄なし」なので、きっと私たちにゆるゆるが必要だから「ゆるキャラ」が流行っているのでしょう！

「ゆるゆる〜」とは、まさに緊張の反対です。リラックス状態です。

私たち日本人は、とくに真面目で緊張する人がとても多いのです。歯を食いしばって生きています。あなたも歯を食いしばる癖がありますか？

人生を頑張る癖のある人は、しっかり歯を食いしばって生きています。歯が磨り減ったり、歯並びがおかしくなったり、噛み合わなくなってきます。噛み合わせが悪くなると、バランスが取れなくなって、いろんな症状を生み出します。

噛み合わせ＝神合わせ　なのです。奥の光の神とのつながりができなくなるので、いろんな支障が出てくるのです。

頭痛、肩こり、腰痛、緊張、イライラ、などです。

ちょうど、この原稿を書いているときに、フェイスブックで見つけた情報から愛媛県の松山にある自然歯科に伺いました。

歯を抜かない、神経を抜かない、レントゲンを撮らずに、全身写真と顔の写真を撮って、歯の噛み合わせを調整して身体全体のバランスをよくしてくれる、世にも不思議な歯医者さんです。

そこでも、歯を噛みしめないで、リラックス！「ゆるゆるで生きましょう！」と教えてくれます。

もし歯を食いしばる癖があるなら、今のうちにリラックスの習慣をつけましょう！　歯が休めて、自然に元の位置に戻ってきます。

この「ゆるゆる〜」を一日に何度も意識してみてください。

テレビに出ている「ゆるキャラ」を見るのも意識を刺激します。生でご当地ゆるキャラを見に行ってもいいでしょう。意識が「ゆるゆる〜」に向くからです。

真面目が一番で今まで生きてきました。それを急に「ゆるゆる〜」と、まるで怠けているかのようにゆるめることに罪悪感を覚えてしまいます。

「ゆるゆる～」は、リラックスしていることで、不真面目になることとは違います。エネルギーをためて、いざというときに使えるように、実はとてもエコなのです。

ここで、ちょっと生き方をゆるゆるにしてみましょう！

「ゆるゆる～」になるベストタイミングです。

ゆるゆる体操もお勧めです。身体を揺すって、適当に動かすだけでいいのです。口はぜひ声に出して「ゆるゆる～」と言ってみてください。大脳に音声化された言葉が響いて、全身に「ゆるゆる～」のリラックスした響きが伝わります。

海をたゆたっているタコやイカを思い出して、全身力を抜いて「ゆるゆる～」です。

普段「ゆるゆる～」になっていると、いざというときに、バシッと決めることができます。

はい、「ゆるゆる、ゆるゆる～、いざというときにバシッ！と決める」

このワークはセミナーや講演会でも大好評です！

いざというときのために、リラックスしてエネルギーをためているのだと思ってください。そうすると、超真面目な人でも不必要な罪悪感に悩まされずに、にこやかに「ゆるゆる～」ができるようになります。

今日も、ふだんは「ゆるゆる～」、いざというときにバシッと決めましょう！

kotodama 8

人生最高ブラボー！

この言葉は、かなり前から使っています。本のサインの言葉に使うこともあります。

今の人生を全面的に受け入れて、賞賛する素晴らしい言霊です。

宇宙法則の一つ、「引き寄せの法則」を身体で覚える「引き寄せリズム」にも出てくるフレーズです。

「人生最高ブラボー、ブラボー、ブラボー！」と「ブラボー」を三回、万歳のポーズで大きく手を広げて、上げ下げします。

万歳のポーズは、ボディランゲージでは手放しで喜ぶポーズなので、大脳が大喜びしていることをしっかりとキャッチします。身体からも最高の喜びを受け取ることができます。

せっかくなので、ここで本をちょっと置いて、実際に大きな声で言ってみてください。

誰かノリのいい人を探して一緒にやると、羞恥心《しゅうちしん》が一気に消えて、気持ちよくできるでしょう。

ぜひ、「人生最高ブラボー！」ワークをやってみてください！

今まで自分の人生をこれほど賛美したことがない人にとっては、大変衝撃的な言霊です。

こんなにシンプルに自己肯定して、人生まるごとOKの言霊も珍しいのです。

「人生」「最高」「ブラボー！」と三拍子で大切な言葉がリズミカルにはじけています。「自分の人生が最高で素晴らしい！」という意味です。

「人生」を今だけに限定していません。**過去の人生もすべて含まれています。「今までの人生すべてが最高で素晴らしい！」という深い意味があるのです。**

魂の歴史をすべて肯定する言葉です。しかも断言しています。言い切っていることで、さらに言葉からパワーがあふれ出ます。さらにパワフルに人生が展開してくるのです。

この言霊を思いついて本当によかったと、今さらながら思っています。

あなたの人生は、今までも、そして今現在も、最高に素晴らしいです！

自信を持って、突き進んでください。その調子です。

人生最高ブラボー！

kotodama 9

よかったね〜

これもよくある日常の言葉ですが、なかなか素敵なパワーを持っています。

「よかったね〜」と思えないときに、わざと「よかったね〜」を言うことで、「ハッ」と相手に目覚めスイッチを入れることになります。

私たちはいつもと違うことが起きると、「わぁ、大変、どうしよう！」という反応をします。あわてふためいて、何とか元の状態に戻そうとします。変化が怖くて、いつもの生活に戻そうとするのです。

そこへ、その変化が素敵、よかったという合いの手を差し伸べることで、**今起きていることが実はいい流れなのだと気づくきっかけになります。**

最初に最強の言霊、「すべてはうまくいっている！」を紹介しましたが、本当に宇宙は愛に満ちていて、もっと幸せになるために、もっと魂が磨かれるようにと素敵な体験を次々とセットしているのが、私たちの人生なのです。

「よかったね～」の声かけの前提には、「すべてはうまくいっている！」がしっかりと後押ししています。

この**「よかったね～」を口癖にしておくと、何がよかったのかを自分も考えるようになって、今の状況から「よかった」と思えることを探し出します。**

子どもがケガをしても、膝をすりむいただけですんだことに気づいて、「膝だけのケガですんでよかったね～」と、さらに詳しく相手を安心させることができます。運が悪いと思っていたのに、これだけですんで、実はラッキーだったと思えてきます。

よく引き合いに出されるのが、コップに半分の水が入っていて、それをどう捉えるかです。「まだ半分も水が残っている」と思えるのか、それとも「ああ、水がもう半分しか残っていない」と思うかの違いです。

同じ現象を人によってどう捉えるかが変わってきます。まだ半分も残っていて「よかった！」と思えるのか、それとも半分しか残っていなくて残念と思うのかで、人生観が大きく変わるのです。

あなたは、どちらのタイプですか？

もしかしたら、そのときの気分でどちらになるかが変わるかもしれません。

これからどんなときにも、おめでたく「まだ半分も残っている。ラッキー」と思えるようになりたいですね！

おめでたい天然の性格になると、常に「よかったね〜」「自分はラッキー」と思えるようになります。

それには**「ないものねだり」をしないで、「あるもの感謝」になっていくことです。**「ないものねだり」の姿勢は、常に足りない気持ちでいるので幸せを感じられなくなります。ほかの人と比較したり、過去の状態と比較したりして、今の自分にはないと思うと淋しくなります。

今あるものに感謝できるようになると、常に「よかったね〜」「自分はラッキー」と思えるようになるのです。とても幸せでめでたい人になれます！

それには、さらに「今に生きる」ことが大切です。今というときに心を向けているのです。今だけの中に自分が立っています。

今の中に生きてみましょう！　過去のデータにとらわれずに、今の中で喜びを見つけましょう！

今のあなたに「よかったね〜」。

kotodama 10

エクスタシーチェンジ！

黒人で初めてアメリカの大統領になったオバマさんが、しきりに「チェンジ！」を連発しているのを見て思いついたフレーズです。

普通は「チェンジ」には「エクスタシー」がつきません。初めての言葉です。ありえない組み合わせなので、自然に笑いが出てきます。

しかも、この言葉を唱えるときに、右手の親指と人差し指だけを伸ばして、それを回転、スピンさせます。

「エクスタシー」で指を構えてポーズを作り、「チェンジ」と言いながら一回転させるのです。これを三回繰り返します。ぜひ今やってみてください。楽しくなってきます。

「エクスタシーチェンジ！」「エクスタシーチェンジ！」「エクスタシーチェンジ！」

いかがでしたか？

なぜ三回かというと、三回声に出して言うと、潜在意識に新しい思い込みとしてしっかりインプットされるからです。

一回だけでは弱いのです。二回目になるとインプットが始まります。三回目でしっかりと新しい思い込みの一つに刻まれるのです。

しっかり三回、右手を使ったポーズとともにインプットされると、「エクスタシーチェンジのワークをします」と言われてもピンときて、すぐにワークに参加できるのです。

三回声に出すと、新しい思い込みをインプットできることもぜひ覚えておいてください。日常でかなり活用できます。

ぜひ自分の新しい思い込みにしたいという言葉が出てきたら、すぐに三回言ってみることです。そのときに何か身体ごと動かすポーズも同時にやると二度と忘れなくなります。

私の講演会やセミナーで言霊をインプットするときに、必ず身体ごと動かすワークにしています。そのほうが、忘れないからです。

今、「人生の転機」を迎えている人が多いので、この「エクスタシーチェンジ!」は、**素敵な「人生の転機」を引き寄せます。**

仕事を替わりたい、引っ越したい、新しい人間関係を作りたい。そんなあなたにぴったりの言葉です。素敵なわくわくする変化を引き寄せましょう!

kotodama 11

人生一切無駄なし！

これも素晴らしい言霊です。最近よく講演会やセミナーで皆さんに伝えている、とてもパワフルなメッセージです。

すべてがうまくいっているなら、「人生に起きることがすべて、さらに幸せになるために必要なことだ」と思い込むことなのです。

私たちの人生のシナリオは、魂さんが生まれる前に書いてきています。それは生きたシナリオなので、もちろん変更も可能です。

人生は海外旅行に似ています。

初めての海外は心配なのでツアーで行きます。観光の場所も食事の場所も決まっていて、メニューまで決まっています。ガイドも通訳もつきます。

人生もその星での生まれ変わりが初めての場合は、すべて細かく決めてきます。

だんだん生まれ変わりに慣れてくると、自分で選んで決められるようになります。まるでオプショナルツアーです。

かなりのベテランになると、大切なポイントは押さえておいて、あとはそのときの臨機応変な選択で進めます。つまり、そのときの勝負の行き当たりばったりを楽しむのです。

人生のシナリオが全部決まっていたらつまらないと思っている人は、大丈夫です。そんな人は、オプションがたくさんあって、選べるようになっています。パラレルにいろんな自分の世界があることにも気づいて、その面白さを満喫できるのです。

つまり、**私たちの「人生のしくみ」は、その人の意識に合わせていくらでも面白くなるようにできています。**なんて奥が深いのでしょう！

知れば知るほど面白くなる～

あなたの人生のシナリオは、全部決めてきていますか？

それとも、かなりオプションが多いかしら？

この本を読みたくなる人は、もちろんかなり人生の達人です。たくさん生まれ変わっていろいろ体験をしてきた人がたどりつくでしょう。

人生一切無駄なし！　これからも人生をしっかり楽しみましょうね！

kotodama 12

これでいいのだ！

「人生一切無駄なし！」をさらに別の言い方をすると、「これでいいのだ！」になります。

このフレーズは、もちろん天才バガボンの名台詞《せりふ》です。

右腕の握りこぶしを下に力強く降ろしながら、「これでいいのだ！」を三回、なるべく大きな声で唱えてみてください。

自然に笑いが出て、潜在意識にしっかりと「これでいいのだ！」というシンプルな言葉が気持ちよくこだまします。

一度言うと、嬉しくなります。

二度言うと、そうか、これでいいのだと思い始めます。

三回目は、あらゆる時代、あらゆる場面で後悔したときの気持ちがすっきりと解消されて、そのエネルギーが回収され、集まってきて、自分がエネルギーにあふれているフレッシュな状態になれるのです。

不安になったら、「これでいいのだ！」を三回言ってみましょう！
不安がぶっ飛んで、笑顔になって、また元気よく前に進むことができます。

私たちは、なぜ不安になるのでしょう？

これでいいのだろうか？　もっと違うやり方があるのでは？　と、いろんな疑問が湧いてきます。そこにはこれでいいのかダメなのかという、自分が正しい方向にあるのか間違ってはいないかと善悪の世界にいると、自分の状態がＯＫかどうかが心配になってきます。

正しい道、間違った道という世界観の中にいると、なかなか「これでいいのだ！」と言い切れないのです。

ところが、善悪の世界から足を洗うと、急に自由な世界に突入できます。

正しい道を行くのではなく、楽しい道を行くと思うようにすればいいのです！　自著『人生の選択』（徳間書店）にも、「正しい選択より楽しい選択を！」という帯の言葉が後押ししてくれています。

このフレーズを元気よく唱えて、善悪の世界から足を洗いましょう！

わくわくの世界へ進むことができます。

職場でも、何か雰囲気が暗くなったときに、ミーティングでこのワークをやってみてください。元気が出て、またやる気がむくむくと湧いてきます。

グループで輪になってやると、さらにパワーアップして、笑いも起きて楽しくなります。

私たちは、みんな「これでいいのだ！」と思っていたいのです。

「これでいいのだ！」と大きな声で宣言してみたいのです。

ふだんはそう思ってもなかなか言えないので、一度でも言うと、また言いたくなります。

何度でもパワーアップできるまで、続けてみてください。

あなたは、今まで健気に一生懸命に生きてきました。

だから言ってみましょう！

元気よく、「これでいいのだ！」。

kotodama 13

人生は舞台、私が主役！

このフレーズは、アメージング・グレイスの替え歌「あなたに会えて嬉しい」の歌詞に出てきます。人に向かって愛を込めて歌うときには、「人生は舞台、あなたが主役」と歌いますが、自分で歌うときには、もちろん「人生は舞台、私が主役」です。

そのあとに「シナリオ書いたのは魂、天使が読んで支えてくれて、ここまでこれたのありがとう！」と続きます。「人生のしくみ」をまとめた歌です。

人生のシナリオを書いたのは、自分の魂さんです。それを守護天使さんが読んで、いろんな段取りをして支えてくれて、今の人生までこなしてきました。

守護天使さんは、シナリオを書くときから自分への担当が決まっていて、そばで見てくれています。マスターたちのアドバイスを受けながら、今回の人生をどのようにするのか、どんな時代の続きをするのか決めてきます。全く新しい体験のときは、新しい流れになるので、ベテランの助っ人天使がつくこともあります。

本当に人生は舞台のように、場面と脇役のキャスティングといろんなことが決まっていきます。そして**「ソウルメイト」と呼ばれるいつも一緒に人生の舞台を演じる仲間がいます。**まるで旅芸人のようです。いつものメンバーは何度も一緒に舞台をやっているので、とても慣れ親しんでいてやりやすいのです。

それでもあんまり同じメンバーでは、代わり映えがしないので、時々新顔が交じったりして、リフレッシュ効果をねらいます。新顔が登場するとさざ波が起きます。しっくりこないのですが、とても新鮮で、どんな展開になるのか場面の予想がつかないわくわく感があります。

人生を舞台と思って、自分が主役で、お互いが脇役を和気あいあいと演じ合っているのが、これまでの人生のしくみなのです。

なんてうまくできているのでしょう！ 人生、面白くてやめられない～と思い始めたら、もうあなたは突き抜けて天然の領域に入っています。

おめでとうございます！ あなたはもういろんな時代のカルマの解消をして、とうとう魂の宿題をやりとげたので、あとは笑って好きなように進みましょう！

人生は舞台、あなたが主役です！

kotodama 14

私は私

「人生は舞台、私が主役」とくれば、自然に自分に主体性ができて、「私は私」と思えるようになってきます。
まわりの人が自分をどう思っているかが気にならなくなって、本当にあるがままの自分を表現できるようになります。

そうなったら、自然に笑顔になります。何をやっていても楽しくてなりません。

「私は私」の英語は「I am that I am」です。これは精神世界ではマントラ、宗教では真言になっています。

モーゼがシナイ山で神から受け取った十戒という石版をもらった場面で、神が登場したときに叫んだ言葉です。

子どものころ、『十戒』という映画をどうしても観たくて、弟と一緒に観に行ったら立ち見なので、お年玉をはたいて指定席を買って見た懐かしい思い出があります。海が割れて民が逃れるシーンなど忘れられないスペクタルを満喫しました。そのとき、まさに「十戒」のシーンで英語の「I am that I am」が魂に深く力強く響いてきました。

まだ小学校五、六年生のときです。海が割れるシーンよりも、この場面が忘れられなかったのです。そして今、五十年がたって、大人の自分がその言葉を解説しているのも、嬉しいびっくりです。

最初に心に響いた英語の言葉が「私は私」の「I am that I am」だったとは、とても不思議です。

なぜなら、このマントラが「人生のしくみ」の真髄だからです。

宇宙ができる最初の創造が、私という意識からきています。

巨大な光から、私という意識がもっと自分を理解するために、ビッグバンで爆発して分光したのです。それから私たちが、「私は何か？」を知って、味わうために個々の私が長い旅を続けてきているわけです。

なんて壮大なドラマなのでしょう！　気の長いドラマです。

光が光であることをもっと知るために、爆発して分光して手分けして調べているわけです。私はどんな私なのでしょう？

あなたはどんなあなたなのでしょう？

光は永遠に続きます。**私たちは意識を持った光そのものなのです。永遠の意識を持った光がいのちに宿りながら、さまざまな体験をして自分の中にある創造性を知ろうとしているのです。**

たくさんの体験をしてきた中で、だんだんと自分のことが見えてきたはずです。

少しは自分のことがわかってきましたか？

自分に主体性が戻ってくると、いろんなことを決めるのが楽しくなります。

自分は自分らしくていいのだと思えたら、どんどん自己表現を楽しんで、ますますクリエイティブになります。

クリエイティブ＝創造性のもとが虹と同じ七色の光です。七色を使ってさまざまな創造ができるのです。これはすべての人に共通したものなので平等なのです。私たちが創造主と同じ光を持っているから、人間も神の子だという説明が宗教でされてきたのです。

私は理屈が好きなので、なぜ神の子なのかを知りたくて、人間の本質が光であり、意識であり、究極は「意識を持った光」だということがわかって、光としての説明で納得しました。自分で腑に落ちたことを、こうやってみなさんにもわかりやすく解説しています。

私とは「私という意識を持った光」なのだとわかると、世界観がガラリと変わってきます。光は完璧なので、創造ができて、いくらでも輝くことができるのです。

自分がつまらないものと勘違いしてきたことが、パンと気持ちよくはじけてわくわく創造性が開いてきます。

「私は私」の言霊は、とても深い意味を持って、唱える私たちをしっかりと本質に目覚めさせてくれるのです。

ヒーリングセミナーでは、元気よく両手を腰に引き締めるポーズをしながら、**「私は私、ヨッシャーー!」**を三回叫ぶワークをしています。皆さんもやってみましょう!

「私は私、ヨッシャーー!」

「私は私、ヨッシャーー!」

「私は私、ヨッシャーー!」

いかがですか? これであなたも自分の人生の舞台で主人公になりました。自分に主体性ができて、いろんな選択や決断が楽しく、自然にできるようになります。ますます人生が楽しくなってきます。

「私は私!」なのです。

kotodama 15

大好き！

「大好き！」という言霊も大好きです！（笑）

愛にあふれていて、すぐに笑顔になります。なぜなら「大好き！」というとき、必ず笑顔になっているから、笑顔は人から人に移るんです。

講演会やセミナーでは、自分を抱きしめて「大好き！」と声に出してみるワークをします。これはお腹にいる感情の象徴の「インナーチャイルド」がとても癒されて、自分に厳しくて愛を注いでこなかった人は、泣き出すこともあります。やっと愛をくれたと「インナーチャイルド」が嬉し泣きをするのです。

それほど、**自分の気持ちは「大好き！」と言ってほしいのです。注目してほしいのです。愛をいっぱい求めているのです。**

シンプルで短いけれど、愛にあふれている「大好き！」という言霊を、もっと毎日の口癖にしてみましょう。

言えば言うほど、自分のインナーチャイルドが喜んで、愛に満たされてきます。

ワークやヒーリングセミナーでの瞑想の時間に、参加者お一人ずつをヒーリングしていきますが、魂さんからのリクエストで、声かけとして「大好き！」を言うことが多いのです。必ずインナーチャイルドが反応して涙を流し始めます。たまっていた孤独感が溶けていくのです。

私自身も癒されて、人が怖かった過去生のブロックが溶けていきます。

「大好き！」という言霊は、言われた人だけでなく、言った人まで愛に包まれて、お互いにほどけてくるのです。

「大好き！」と言う思いを抱くだけで、そして声に出して言うことで、好き嫌いの感覚が戻ってきます。

好き嫌いには「思いの自由」が前提にあります。

今まで長い間、私たちは「権力者と奴隷のゲーム」にはまってきました。

やっと洗脳がほどけて、「思いの自由」が感じられるようになりました。

「権力者と奴隷のゲーム」には「思いの自由」がないので、好き嫌いの感覚が蘇ってくると、自分に主体性が出てきて、奴隷からの解放ができます。

「思いの自由」がはっきりとしてくるのです。

そろそろあなたも「権力者と奴隷のゲーム」から足を洗って、「思いの自由」を獲得しましょう！

「大好き！」を連発してみましょう。

「大好き！」

「大好き！」

「大好き！」

宇宙にたくさんの愛の言霊「大好き！」が広がりました。たくさん「大好き！」を言って、「思いの自由」を楽しめるようになりましょう。

私はあなたが「大好き！」です！

私は自分が「大好き！」。

kotodama 16 夢は必ず実現する 夢は叶う、ヨッシャ〜

「夢は必ず実現する」は、自著『人生のしくみ』の副題にもなっていて、夢のコラージュワークで、赤字でしっかりと紹介する大切なフレーズです。

赤字なのは、赤色が夢実現のパワーの光の色だからです。

私たちは、尾てい骨のところから赤い光線を噴出しています。夢を叶えているとき、行動を起こしているとき、勇気があふれ出ているときに、自然にお尻から赤い光線をロケット噴射のように出しています。

だから赤い字で書くほうが、夢実現にはぴったりなのです。

赤は夢実現の色と覚えてみてください。

いつかとっさのときに、赤をイメージして流れが変わることが出てくるかもしれません。

パッと赤い光をイメージすると、パワーが出てきます。それは宇宙のしくみなのです。

夢実現したいときには、赤い光をイメージしましょう！

そして、腰に両手を当てながら、「夢は叶う、ヨッシャー！」と三回唱えてみてください。前述したように、三回声に出して言った言葉は、しっかり潜在意識に「新しい思い込み」となって入ります。一回目で意識し始めて、二回目でもしかしたらと思い始め、三回目でしっかりと思い込みに昇格します。

「夢は叶う、ヨッシャー！」というフレーズは、本当に夢が叶いそうな気がしてくるパワフルな言霊です。

腰に両手を引き寄せるように手前に持ってくると、夢を現実に引き寄せる気がしてきます。

言葉にはパワーがあり、パワフルな言葉は言霊と言われています。

「夢は必ず実現する」は、一つの人生だけを見ると、まさかと思ってしまいますが、永遠のいのちという流れで考えると、本当にそうなのです。

夢はベストタイミングに叶うようになっています。

そのために生まれ変わりのシステムがあるのです。

今の私たちの状況は、昔の自分が思い描いた夢が叶っているのです。

だから、未来のために今、自分の夢を描いて祈りましょう！

必ずベストタイミングに叶うことになっています。

ベストタイミングは宇宙におまかせなのです。それは段取りがいろいろあるからです。タイミングもお願いしたり、宣言したり、いろいろですが、宇宙の兼ね合いもあり、希望を出しておいて、あとはおまかせの境地が悩まなくてもいいので楽だと思います。

短期計画、長期計画、どちらもそれなりに楽しめます。

私は沖縄に移住してから、ずっと本を書き続けていますが、本が世に出るタイミングが時々変わります。前著『祈りの奇跡』も三月の予定が五月になって、どうしてかしらと思っていたら、あとで五月がベストタイミングだったことがわかります。

この本も二年前にチャレンジしたのに、そのときは書くのがパタッと止まり、タイミングではないと気づきました。そして今がベストタイミングでした。今は流れるように書いています。

夢が叶うときには流れがスムーズで、トントン拍子に物事が進むのです。

この世に生まれてから始まった表面意識では、なかなかタイミングがわかりませんが、あとからやはり「すべてはうまくいっている」としみじみわかってきます。

体験を積むことにより、表面意識も学習されてきます。だんだんと表面意識と魂との差が縮まってくるのです。

魂は宇宙とつながり、宇宙は愛に満ちています。宇宙につながることで、たっぷりの愛に包まれます。

宇宙は決して私たちを悪いようにはしません。むしろ私たちの幸せを一番に考えて、すべての流れがいいように夢実現をセットしてくれます。

安心して宇宙にゆだねましょう！

夢は必ず実現する～夢は叶う、ヨッシャー！

kotodama 17

人生すべて思い込み 思いが現実を引き寄せる

これは、宇宙の法則「引き寄せの法則」のずばりのエッセンスです。人生がすべて自分の思いで創られていることを気づくには、ぴったりの言霊です。

自分の思いで人生を創っていることがわかると、もちろん自分の思いが気になってきます。

ずっとマイナスの思いが連続して続いていたら、気をつけましょう！　マイナスの思いのまま引き寄せてしまいます。

こうなったらどうしよう、ああなったらどうしようと不安、心配ばかりしていると、その通りの現象を引き寄せてしまうのですから、不安や心配はしないほうがいいです。

愛する家族のためを思って心配することも愛があるかもしれませんが、それがしつこいと、かえって心配していたマイナス現象を引き寄せることになってしまいます。だから心配しすぎはマイナスです。

ちょっとの心配は愛情表現とされますが、過度な心配はかえって相手の足を引っ張ってしまいます。

逆に、「大丈夫よ！」と心配や不安を吹き飛ばす元気にする言葉を言ってあげましょう！

会話の中でさりげなく「人生すべて思い込みみたいよ！　心配するよりも、望むことを思ったほうが絶対にいいわ！」と言ってみましょう。

「思いが現実を引き寄せるそうよ！　なるべくいいことを思ったほうがお得よ！」とさりげなくお得感を伝えてみてください。

会話の中でこのフレーズを使うと、自然に相手の潜在意識に宇宙法則の内容をインプットすることができます。それは、宇宙のしくみを啓蒙することになって、相手の魂さんにとても喜ばれます。それは表面意識と魂の通訳をしてあげることになります。

「引き寄せの法則」をわかりやすくワークにしたのが、「引き寄せリズム」です。

その最初のフレーズが、「人生すべて思い込み」です。

そのあとに、

「マイナス思えばマイナス続く」

「プラスを思えばプラスが続く」

「いつも笑って楽しい人生」

「引き寄せ、引き寄せ」

「引き寄せ、引き寄せ」

と元気よくフレーズを言いながら、自然に「引き寄せの法則」のエッセンスを学べるのです。

せっかくですから、そのあとのフレーズも紹介しましょう！


「口癖そのまま引き寄せる！」

「望みの通り引き寄せる！」

「ルンルン気分で引き寄せる！」

「言霊パワーで引き寄せる！」

「引き寄せ、引き寄せ」

「引き寄せ、引き寄せ」

「今日も絶好調！」

「私は天才！」

「私は健康！」

「私は完璧！」

「人生最高！」

「ブラボー」

「ブラボー」

「ブラボー」


という流れで言霊パワーを全開にして、なるべく大声で叫びます。ノリノリになって、言い終わるころには体温が一度は上がっています。免疫力も倍増して元気いっぱいになります。

ついでに「人生のしくみ」や「引き寄せの法則」がマスターできるのです。

シンプルで、パワフルで、ワンダフルです！

では、ご一緒に！

人生すべて思い込み！

kotodama 18

今がベストタイミング

このフレーズも大好きです。自著『今がベストタイミング』という本の題名にもなったくらいです。「夢は必ず実現する」のところでも説明したように、夢はベストタイミングに叶います。「人生のしくみ」の中では「タイミングがとても大切」なのです。

時と人と場所がそろうと、夢が叶います。

タイミングが今ではないときは、「時間調整中」と思ってください。

だからと言って何もしないのではなく、引き続き夢が叶うための準備をしっかり続けてください。

今がベストタイミングとなると、急にトントン拍子になって動き始めるからです。

そのときになってあわてないように、常にスタンバイしておきましょう！

これからどんどん夢実現が加速していきます。表面意識がちゃんとその流れについて行けるように、心構えをしておきましょう！

それには、アンテナとして直感を磨いておくことが大切です。直感はおでこの真ん中にある第三の目から感じ取れます。**第三の目が直感とインスピレーションを司っているので、ここをあけておくことです。**

過去生でスピリチュアルな仕事をして、第三の目をよく使っていた人は、迫害にあったりすると、しっかりと閉じています。自分で封印しています。それを開けるには、自分の意思がはっきりと、そろそろ開けるタイミングだと思うことです。

まさに第三の目を開く「今がベストタイミング」です！

ヒーリングセミナーや講演会に参加される方の中には、魂は第三の目を開きたいけれど、まだ潜在意識にある不安や恐怖が邪魔をしてビクビクしている方がいます。瞑想中にヒーリングをするときに、そのビクビク感が伝わってきます。私自身も同じ不安と恐怖がありました。

だから、スピリチュアルな世界には簡単に足を踏み入れなかったのです。潜在意識がまた世間から迫害を受けるのではと、過去のデータと潜在意識に残っている不安と恐怖が邪魔をして、なかなか出版社さんから本の依頼があってもお受けできませんでした。でも沖縄に移住してから、あるストーカー事件を体験して、一気に恐怖が解放されて、見事に本が書けるようになったのです。

沖縄移住が世間に出るための恐怖を解放する大切なベストプレイスでした。

そして、今の主人との出会いがベストパーソンで、次々に本を世に出せるようになったのです。

そして、大きなもう一つの夢実現として、終《つい》の棲家の天の舞ができました。木が大好きでこだわって木造にしました。今までの木の家具がぴったりと合います。木の香りに癒されて、身体も心も大満足です。

夢実現には、必ず流れがあります。その流れをしっかりとキャッチしましょう！　それには第三の目を開けると決めることが大切です。

今が開けるベストタイミングです。今すぐに決めてください。

いつでも「今がベストタイミング」です！

kotodama 19

私の腸は絶好調！

ここで、ちょっと笑いも入れた言霊を紹介しましょう！

便秘しやすい方には、とても実用的です。

「私の腸は絶好調！」と言いながら、右手で「の」の字を描くように、お腹をさするのです。今までと同じように、三回元気よく声に出して唱えてみてください。腸がこれを聞いて、とっても喜びます。自分に注目してくれていると思うと、どの臓器もどの細胞も喜びます。**話題にされているということは、気にしている＝愛していることになるからです。**

愛をいっぱいもらいたいのは、誰でも同じなのです。注目を浴びたら、愛をもらっていることになって安心するのです。しかも絶好調と言われたら、もっと嬉しいです！

腸の気持ちになると、手から愛のピンク光線が出てきて、やさしくスピンしながら愛をもらえたら、ルンルンです。

きっとエネルギー不足になっていたでしょうから、愛のエネルギーで腸が調子よく動き出します。自然に流れがよくなって、お通じがよくなるのです。

座禅断食会で、このワークを紹介したら、笑いながら参加者のみなさんも一緒にやってくれました。そして嬉しいことに、なかなか宿便が出なかった人も、トイレでこのワークをしたら、ちゃんとよい便りがあったそうです。何人もの方が嬉しい報告をしてくれました。トイレの便りは嬉しいですね！

どうぞ、ちょっと便秘気味の方も試してみてください。きっと笑いと愛のハンドヒーリングで言霊パワーも加わり、素敵な流れになりますよ！

あなたの腸はいつも絶好調です！

さらに、この応用編もおすすめです。ちょっと絶好調でないところがあったら、腸の代わりに入れ替えて言ってみてください。あとのフレーズはそのままでも、あるいは趣向をこらして笑いが出るような言い回しにしてみましょう。

「私の胃は、いい調子！」

「私の肝臓、いい感じ！」

「私の脳は、能天気！」

など、いかがでしょうか？　言霊パワーでパワー全開です！

kotodama 20

私は天才！

ついに出ました、この言葉！

なかなか言えないけれど、「私は天才！」は、とてもパワフルな言霊です。

一度言ったら、やみつきになります。勇気はいるけど、みんなで言えばいとも簡単です。

これも講演会やセミナーで、よく一緒に唱えて、自然に笑いが出てきます。

謙譲の美徳がある日本人には、とくに言いにくいフレーズかもしれません。

「どんな天才かは、言ったあとからゆっくり考えてください」

と解説することで、さらに笑いを引き出しています。


料理をするときは、料理の天才です。

掃除をするときは、掃除の天才です。

片づけをするときは、片づけの天才です。

歌うときは、歌の天才です。
踊るときは、踊りの天才です。

何かをやっているときに、その天才だと思い込んで、このフレーズを言ってみましょう！
もし人がいて声に出して言えなかったら、小さな声でつぶやくか、心の中で言ってみましょう！

とても元気が出て、自己否定の思いがスッと消えていきます。

そして、自分の中の光の世界におられる千手観音さまが動き出します。
千手観音は、たくさんの手を持っています。その手にいろんな道具を持っているのですが、自分の千手観音ですから、過去生で使った道具を持っているのです。人それぞれ過去生での体験が違うので、それぞれの千手観音が持つ道具も違っています。持っている道具は必ず体験したということになります。

体験したことが才能なのです。体験したことがなければ、千手観音の手にその道具は持っていません。それでも体験したいときは、しばらく慣れるまで苦労するかもしれません。今回が初体験だからです。それでも頑張って努力していると、だんだんその道具を使うことに慣れて、上手になります。

だから自分も子どもも、「才能がない」と先生に言われても、めげないでください。今生が初体験なので、できないのは当たり前なのです。それでも「私は天才です！」を連発して言うと、だんだん天才になってきます。

宇宙が応援してくれて、上手になるように先生や助っ人を用意してくれます。

その助っ人は生の人間のときもあります。あるいは天使のような見えないけれど、そばにいて上手になるように手助けしてくれる存在です。それによって上達がとても早くなるのです。

だから、ぜひ「私は天才です！」を言ってみましょう！

本当に、あなたは天才になるのです！

kotodama 21

私はアーティスト！

この言葉も大好きです！　本当は私も医師ではなくアーティストになりたかったのです。画家になりたくて、高校生のときは毎日絵を描いていました。でも絵の才能がないとあきらめて、美大（B大）ではなく、医大（E大）に行きました。少しだけアルファベットがずれたのです。

母の強い勧めで医師を目指しました。「啓子は病気で子どもが産めないから、結婚は難しいと思うの。医者か弁護士になりなさい！」と、それこそ耳にタコができるほど言われて、医師の道を選びました。実は、母の意向というより自分の魂の思いだったことがあとになってわかりました。

そして今ごろになって、医師の仕事の流れで癒しのワークにアートヒーリングを取り入れています。インナーチャイルドの癒しでは母親と父親と自分のインナーチャイルドのイメージを絵に描いて、その絵を使ってワークをします。

夢のコラージュワークでも、コラージュという手法を取り入れています。

人生の癒しワークでは、最後に顔のオブジェを創るというワークがあります。

マンダラワークでも、マンダラ塗り絵や、自分の世界観をマンダラに描くワークを取り入れています。

いずれも自然にアートの要素が入っています。

医師になっても、ちゃんとアートを癒しの手法として使っているのです。

本当に「人生一切無駄なし！」ですね！

さらに、二〇一四年の一月から、衝動行為としてチベットの仏画をいきなり30号という大きなキャンバスに写し描きするようになり、とうとうユニークな千手観音の絵も描いて、手に自分が好きな道具や元気になるものを持たせて、世界で一つしかない千手観音を描いてしまいました。

創造性は止まらず、次々に絵を描いています。

ノンストップ、アートです！

とっても嬉しい衝動行為です。魂の創造的叫びかもしれません。

その絵が自己満足にとどまらず、講演会で人々に披露されて、みなさんの創造性を、アートの心を刺激しています。

「私はアーティスト！」と叫びたいのは、私自身です。

魂さんがつながっている宇宙の本体は虹と同じ七色の光で、すべてを創造するエッセンスを持っています。

創造性から説明しても、私たちは創造主と同じ光を内蔵しているのです。

だから、宗教でよく言われる「人間も神の子である」は本当なのです。

その創造性の光の中に、創造性を象徴とする千手観音をイメージすると、自分の魂の歴史で使った道具を持って登場するのです。

最近は千手観音の絵が描けたこともあって、「千手観音踊り」といって、両手を伸ばしてヒラヒラさせながら手だけで自由に踊るワークを楽しくやっています。瞑想も、自分で才能を開きたい道具を持っているように、千手観音をイメージしてもらうように誘導しています。

では、ここで両手を広げながら、「私はアーティスト！」を三回言ってみましょう！

ついでに好きな表現でアートをやってみましょう！

kotodama 22

私は健康！

天才の次は、健康です。趣味がとくになく、病院通いが趣味になっている人がいます。健康に気を使うことは、素晴らしいですが、なるべく病院には近づかないほうがいいです。今の病院は病気を作ることにとても熱心だからです。

研修医のころ、自分で安定剤を飲んで人体実験をしました。副作用がひどかったので、薬を使わない治療法を追求して今日のようにユニークな精神科医になりました。この路線でよかったとしみじみ思っています。

薬や手術に偏った医療がまだ日本では主流になっています。早く身体に優しい自然な治療が主流になって欲しいです。そのためには、この言霊が役に立ちます。

「私は健康！」は、とてもシンプルな言葉ですが、意外になかなか言わないかもしれません。いつも不全感があって、どこか痛いとか、違和感があるとか、ダイエットしなくてはとか、何かしらあるので、つい自分は健康だということを忘れているのかもしれません。

思いきって、「私は健康！」と両手を広げるようにしながら、三回言ってみてください！

改めて、そうだ「私は健康で、幸せだ」としみじみ思えてきます。

いろんな気になっていたことが、パーッと祓われてすっきりしてきます。

人生、やはり身体が資本です。健康であることが一番大切な基本なのです。

言霊パワーを活用して、自分が健康であることを再確認してみましょう。

たとえ、病気の最中であっても、この言葉を何度も言ってみることで、病気からの卒業を促します。

最近気づいたことなのですが、医師がつける診断名は、あだ名、ニックネームにすぎないと思ってみてはどうでしょうか？

あだ名と思うだけで、ふっと笑いが込み上げてきて、ゆるんできます。

医師によって診断名が変わるので、あだ名に似ていると、ふと思ったのです。病名よりもあだ名のほうが軽やかです。どっぷりとつからないでいましょう。

ガンも最近はガンもどきが多いことがわかってきました。早期発見、早期治療がいいと思い込んできましたが、どうも幻想のようです。知らないで共存しているほうが、長生きしそうなのです。ガンと闘わずに仲良くともに歩む間にガンが消えていく時代なのです。

そろそろ闘う医療からの洗脳からほどけるベストタイミングではないでしょうか？　**手術や薬に対する信仰をやめて、自らの素晴らしい生命力を信じましょう！**

カナダではすでにガンに対しても何もしないことが一番の対応になっているそうです。手術や抗がん剤はたったの三％です。日本は五七％とあまりにも多い治療の選択になっています。

医師の言いなりにならないで、直感で感じてみましょう！

ピンとくる治療が、あなたの身体が求めている方法だと思います。

余命二か月と言われ、手術日も決まっていたのに、直感で手術を受けたくないと感じて、家族を説得してやめた人がいました。一年経っても、とても元気でガンもどきだったことが分かりました。直感がいかに大切かをそのケースで感じました。

歯の治療も不自然になっています。歯を抜くとどんどん抜く状況が続いて、さらに体調をくずすことが多くなります。なるべく歯医者に行かないほうが歯のため、そして身体のためなのです。前に述べたように、歯も神経も抜かずに最小限に削って噛み合わせを直して、身体全体のバランスをよくする自然歯科をｆａｃｅｂｏｏｋで見つけました。さっそく治療を受けて、目からウロコ、歯から豆鉄砲でした。

左でしか噛めなかったのに、その日から両方で噛めるようになりました。一回の治療で治るので、それもびっくり！

医療も歯科医療も変化するときがきています。

それよりも何よりも、**自分が健康であると宣言してしまいましょう！**

ついでに、美しく元気いっぱいだと思い込みましょう！

どんどん美しく元気になります！

「私は健康！」

「あなたも健康！」

よかったですね！

kotodama 23

私は愛！

ついに「私は愛！」まできました。嬉しいです。

宇宙は愛そのものですから、自分も愛そのものになれば、人生の究極です。

最近、ｆａｃｅｂｏｏｋで素晴らしい話を見つけました。ここで紹介しましょう。

あるお母さんが、小学校一年生の息子に、寝る前に「人間が進化すると、どうなるのかな？」と聞きました。

子「人間が進化するとね。愛になるんだよ。あ・い。知らないの？　知ってるでしょ」

母「愛って何か知ってるの？」

子「知ってるよ。愛はね。心の中にあるんだよ」

母「愛が心の中にあるときって、どんな感じかわかる？」

子「愛がね、心の中にあるとね。嬉しかったり喜んだり、楽しくて嬉しくて、ありがとうって気持ちになるんだよ」

母「進化して愛になったら、何がしたい？」

子「ボクはね、愛を出したいんだよ。愛を出して、みんなに分けてあげたいんだよ。

世界中のみんなにだよ。

みんなに愛を分けてあげたら愛がなくなってくるでしょ。

そしたらね。その中から神様が生まれてくるんだよ」


何て素敵な対話でしょう！

小学校一年生で、すでに人生の大切な愛についてわかっていますね。びっくりです。日本の未来は明るいと思いました。

人間が進化したら、愛になる！

もう愛になったつもりで言ってしまいましょう！

「私は愛！」、または「私は愛です！」

「私は愛！」のほうが、ちょっと力強さを感じます。

どちらでもお好きなほうを選んで言ってみてくださいね！

私たちが愛そのものになったら、何をするでしょうか？

きっとこの男の子のように、地球のすべての人々に愛を配るでしょうね。愛をいっぱい込めて、思い浮かぶすべてのことをどんどんしていると思います。

実は、もうすでに私たちは愛を込めて、いろんなことをしています。あまり、それに気づいていないだけなのです。

無意識のうちに愛を込めて、言葉にしたり、祈ったり、行動を起こしたりしています。

それが人生だからです。とくに今の時代は、人類がみんなで目覚めて地球全体の平和を真剣に考えて実現するときだからこそ、日本語の不思議を再確認して、しっかりと生かしていきたいと思います。


魂を動かす最強の言葉集はいかがでしたか？

宇宙創造から関わってきた日本語を大切に丁寧に使うことで、ますます日本語のよさが輝き、本領を発揮するときがきていると思います。

ちょうど、今がベストタイミングです。

言葉のしくみを知って、さらに日本語の達人、人生の達人になりましょう！

おわりに

この本を読んでくださって、本当にありがとうございました。

言葉の不思議なチカラについて、少しでも新たな理解とヒントが得られたでしょうか？

そして、最強の言葉を日常に楽しく取り入れることができたでしょうか？


言葉のチカラを上手に使い込むことで、どんどん夢を引き寄せ実現することができます。

自分からあふれ出る言葉によって、自分が住む世界を創造できるのです。

本を通じて、いろんな方々にメッセージやヒントを提供できるのが嬉しくて、一人ずつに話しかけるように書いています。

言葉についての本は、ずっと温めていたテーマだったので、今回ようやく書くことができて、とても嬉しいです。

第3章で紹介したカタカムナに久しぶりに再会して、感動がどんどん増してくる中で、情熱と探究心を持って、書き進めることができました。

まだカタカムナは学びの途中ですが、少しでも入門の手引きになれたら嬉しいです。カタカムナ文字をバックに描いた、50号の大きな倭姫《やまとひめ》さまの絵も写真で紹介してもらって、とても嬉しいです。

カタカムナの指導と原稿チェックをしてくださった吉野信子先生に深く感謝しています。本当にありがとうございました。

おとひめカードのはせくらみゆきさんにも、おとひめカードの資料を見せていただいてありがとうございました。

本を書くたびに、様々な気づきと学びがたくさんあります。

少しでも皆様のお役に立てたら、本当に心から嬉しく思います。

ずっと私の本を担当してくれて、この本も二年間待ってくれた編集者の野島純子さんに感謝です。

しっかりと原稿を読み込んで、わかりやすい流れに編集してくださいました。

編集長の手島智子さん、ありがとうございました。

素敵な表紙のイラストを描いてくださった奥勝實さん、ありがとうございました。

ずっと応援してくれた家族にありがとう！

沖縄の煌セラの伊地代表、啓子びっくり企画のスタッフのみなさん、天の舞のスタッフのみなさん、いつも応援をありがとう！

そして、なんくる、あろは、エッセンス、クラリス、スターローズ、天然香房、リフレックス、沖縄インターネット放送などの楽しい仲間たちのおかげで、講演会、ミニ講演会、ワーク、ヒーリングセミナーなどを続けることができています。

本土では、埼玉の神辺さん、名古屋の川井さん、軽井沢の新井さん、福島の長尾さん、宝塚の河野さん&山本さん、新潟の板倉さん、北海道の能登谷さん、久留米の山本さん、林さんご夫妻、飛騨高山の大圓さん、半田の藤井さん、松江の米澤さん&大野さん、和歌山の西本先生、徳島の井坂さんご夫妻&渡部さん、高知の久保田さん、岡山の歳森さん、講演会やセミナーでお世話になっています。本当にありがとうございます。

クリエイティヴスクールやヒーリングセミナー、そして講演会やワークに参加してくれたみなさん、本当にありがとう！

とてもたくさんの方々に、支えられて、活動ができています。

みなさんの人生が、楽しく「言葉のチカラ」を使うことで、さらに輝いて幸せな毎日になりますように！

ゆったりとした平和で素敵な、愛と笑顔がいっぱいの世界を私たちがイメージして実現できるようになる日を楽しみにしています。

すべてはうまくいっている！

人生最高ブラボー！

二〇一四年　初夏

魂科医・笑いの天使・楽々人生のインスト楽多《ラクタ》ー

越智　啓子

著者紹介

越智啓子　精神科医。東京女子医科大学卒業。東京大学附属病院精神科で研修後、ロンドン大学附属モズレー病院に留学。帰国後、国立精神神経センター武蔵病院、東京都児童相談センターなどに勤務。1995年、東京で「啓子メンタルクリニック」を開業。99年より沖縄へ移住。過去生療法、アロマセラピー、クリスタルヒーリング、ヴォイスヒーリングなどを取り入れた新しいカウンセリング治療を行う。現在、沖縄・恩納村にあるクリニックを併設した癒しと遊びの広場「天の舞」を拠点に、クライアントの心（魂）の治療をしながら、全国各地で講演会やセミナーを開催し、人気を呼んでいる。

〈本書の内容・治療に関する問い合わせ先〉
啓子メンタルクリニック　TEL：098-989-4146
〈講演会・セミナ等の問い合わせ先〉
啓子びっくり企画　TEL：098-868-9515
〈オリジナルグッズ等の問い合わせ先〉
癒しの広場　なんくる　TEL：098-866-4563

あなたのまわりに奇跡《きせき》を起《お》こす
言葉《ことば》のチカラ

2014年9月10日　第1刷
2017年5月5日　第3刷

著　　者　越智《おち》啓子《けいこ》
発 行 者　小澤源太郎

責任編集　株式会社　プライム涌光
電話　編集部　03(3203)2850

発 行 所　株式会社　青春出版社
東京都新宿区若松町12番1号 〒162-0056
振替番号　00190-7-98602
電話　営業部　03(3207)1916

印　刷　中央精版印刷　製　本　大口製本

万一、落丁、乱丁がありました節は、お取りかえします。
ISBN978-4-413-03927-7 C0095